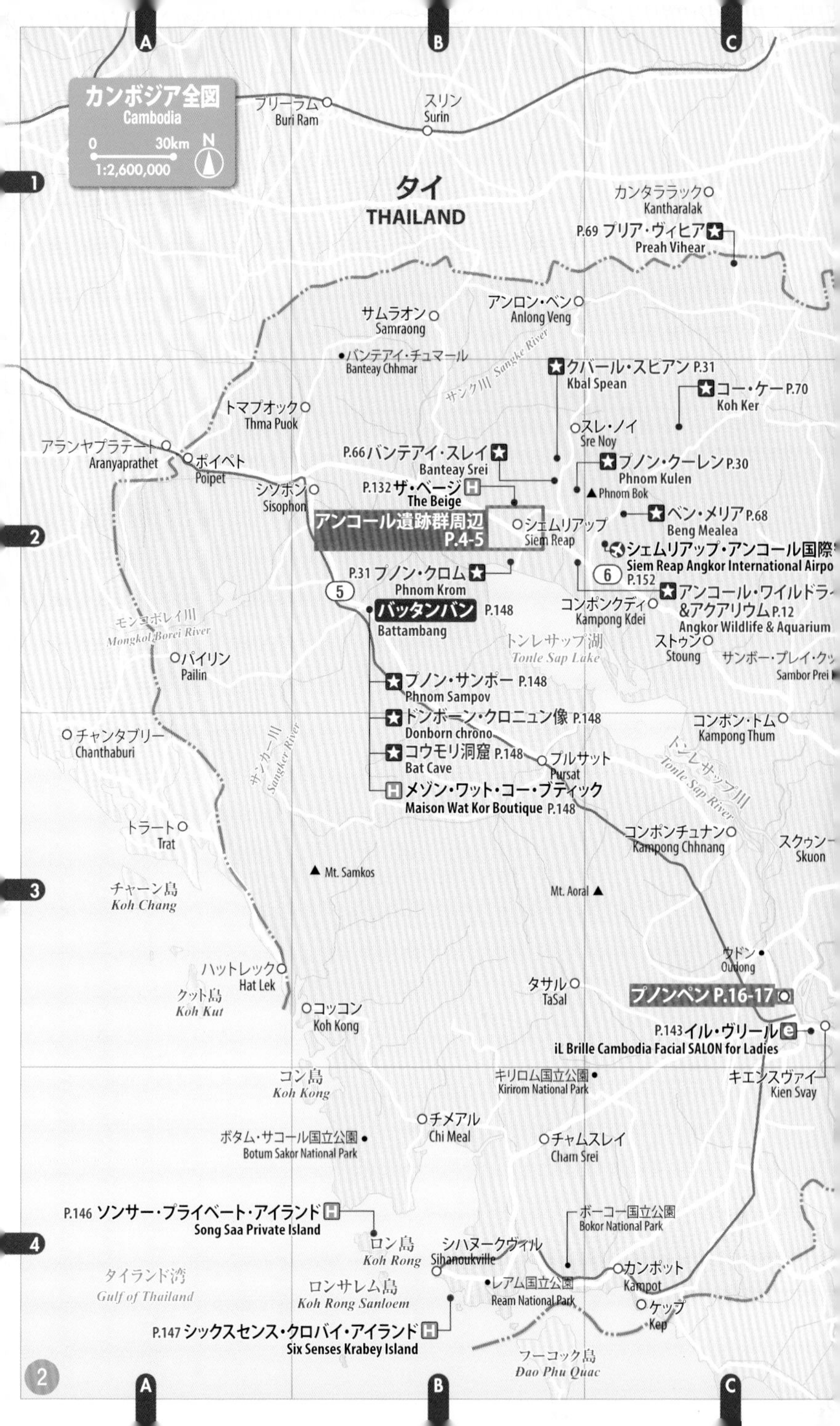
カンボジア全図
Cambodia
0 30km
1:2,600,000
N
タイ
THAILAND
ブリーラム
Buri Ram
スリン
Surin
カンタララック
Kantharalak
P.69 プリア・ヴィヒア
Preah Vihear
アンロン・ベン
Anlong Veng
サムラオン
Samraong
バンテアイ・チュマール
Banteay Chhmar
サンク川 Sangke River
クバール・スピアン P.31
Kbal Spean
コー・ケー P.70
Koh Ker
トマプオック
Thma Puok
スレ・ノイ
Sre Noy
アランヤプラテート
Aranyaprathet
ポイペト
Poipet
P.66 バンテアイ・スレイ
Banteay Srei
プノン・クーレン P.30
Phnom Kulen
Phnom Bok
シソポン
Sisophon
P.132 ザ・ベージ
The Beige
アンコール遺跡群周辺 P.4-5
シェムリアップ
Siem Reap
ベン・メリア P.68
Beng Mealea
シェムリアップ・アンコール国際
Siem Reap Angkor International Airpo
6
P.152
P.31 プノン・クロム
Phnom Krom
5
バッタンバン P.148
Battambang
コンポンクディ
Kampong Kdei
アンコール・ワイルドラ
&アクアリウム P.12
Angkor Wildlife & Aquarium
モンコボレイ川
Mongkol Borei River
トンレサップ湖
Tonle Sap Lake
ストゥン
Stoung
サンボー・プレイ・クッ
Sambor Prei
パイリン
Pailin
プノン・サンポー P.148
Phnom Sampov
ドンボーン・クロニュン像 P.148
Donborn chrono
コンポン・トム
Kampong Thum
チャンタブリー
Chanthaburi
サンカー川 Sangker River
コウモリ洞窟 P.148
Bat Cave
プルサット
Pursat
トンレサップ川
Tonle Sap River
メゾン・ワット・コー・ブティック
Maison Wat Kor Boutique P.148
トラート
Trat
コンポンチュナン
Kampong Chhnang
スクウン
Skuon
Mt. Samkos
チャーン島
Koh Chang
Mt. Aoral
ウドン
Oudong
ハットレック
Hat Lek
タサル
TaSal
プノンペン P.16-17
クット島
Koh Kut
コッコン
Koh Kong
P.143 イル・ヴリール
iL Brille Cambodia Facial SALON for Ladies
コン島
Koh Kong
キリロム国立公園
Kirirom National Park
キエンスヴァイ
Kien Svay
チメアル
Chi Meal
ボタム・サコール国立公園
Botum Sakor National Park
チャムスレイ
Cham Srei
P.146 ソンサー・プライベート・アイランド
Song Saa Private Island
ボーコー国立公園
Bokor National Park
ロン島
Koh Rong
シハヌークヴィル
Sihanoukville
カンポット
Kampot
タイランド湾
Gulf of Thailand
ロンサレム島
Koh Rong Sanloem
レアム国立公園
Ream National Park
ケップ
Kep
P.147 シックスセンス・クロバイ・アイランド
Six Senses Krabey Island
フーコック島
Đao Phu Quac
A
B
C
1
2
3
4

D
E
F
チャンパーサック
Champasak
ラオス
LAOS
Mekong River
メコン川
1
コントゥム
Kon Tum
シェムパン
Siem Pang
ヴィラチェイ国立公園
Virachey National Park
プレイク
Plei Ku
ベン・サイ
Veun Sai
コン川
Kong River
サン川
San River
ラタナキリ(バン・ルン)
Ratanakiri (Bang Lung)
タラバリヴァット
Thala Barivat
ストゥン・トゥレン
Stung Treng
スレイポック川
Srepok River
ルムパット
Lomphat
2
7
エアフレオ
Ea Hleo
カンボジア
CAMBODIA
ベトナム
VIETNAM
バンメトート
Buon Ta Thout
センモノロム
Sen Monorom
クラチェ
Kracheh
ラン
Rang
プノン・プロス/プノン・スレイ
Phnom Pros / Phnom Srei
チョロン
Chhlong
スヌール
Snuol
3
コンポン・チャム
Kampong Cham
タインホア
Thanh Hoa
ダラット
Da Lat
スオン
Suong
ドンフー
Dong Phu
レイヴェン
ey Veng
スヴァイリエン
Svay Rieng
ビエンホア
Bien Hoa
バヴェット
Bavet
モックバイ
Moc Bai
クチ
Cu Chi
ファンティエット
Phan Thiet
ホーチミン
Ho Chi Minh
4
タンアン
Tan An
南シナ海
South China Sea
サデック
Sa Dec
ミトー
My Tho
3

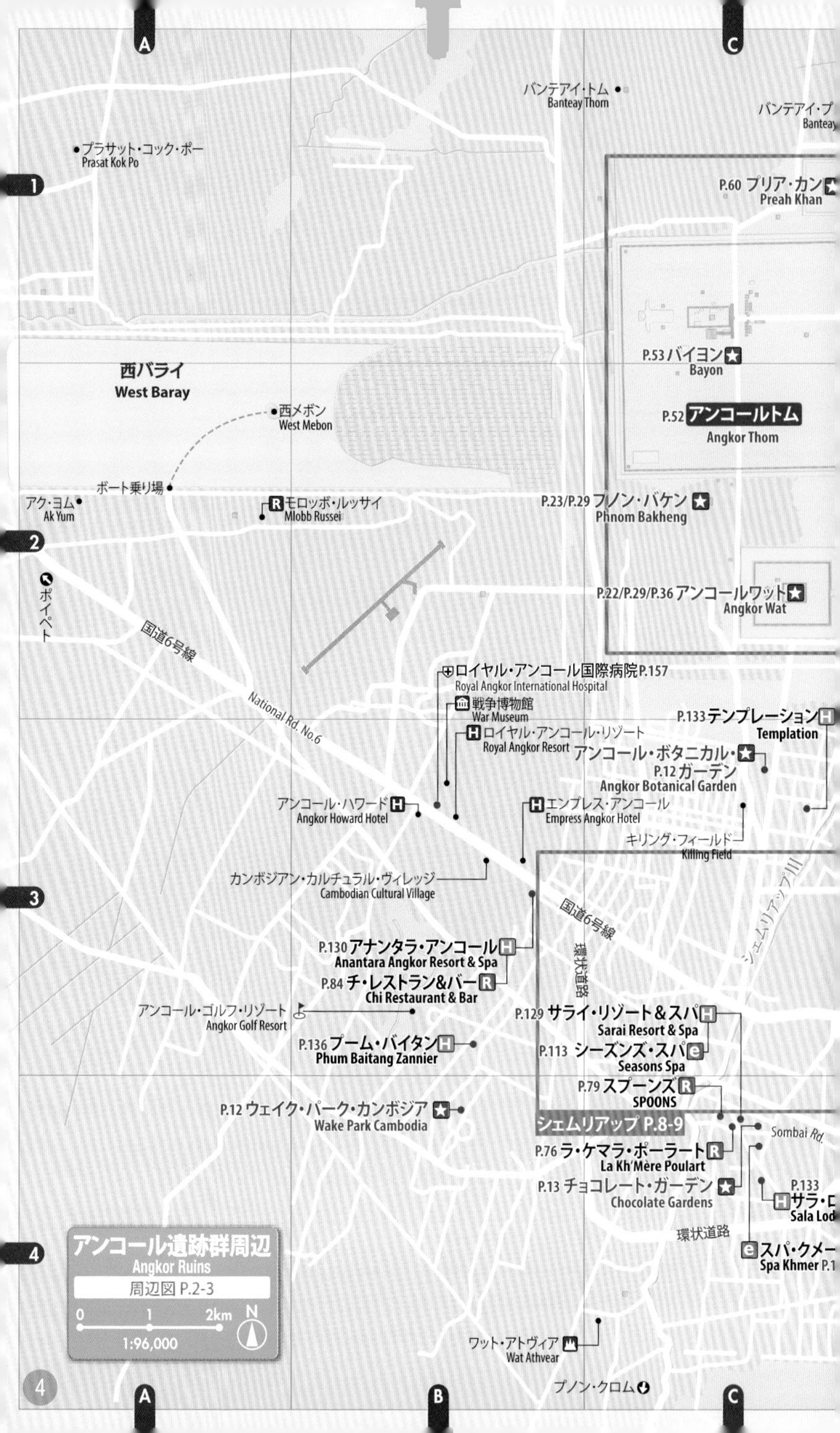

アンコール遺跡群周辺
Angkor Ruins
周辺図 P.2-3
0 1 2km
1:96,000
N
バンテアイ・トム
Banteay Thom
プラサット・コック・ポー
Prasat Kok Po
P.60 プリア・カン
Preah Khan
西バライ
West Baray
西メボン
West Mebon
P.53 バイヨン
Bayon
P.52 アンコールトム
Angkor Thom
ボート乗り場
アク・ヨム
Ak Yum
モロッポ・ルッサイ
Mlobb Russei
P.23/P.29 プノン・バケン
Phnom Bakheng
ポイペト
P.22/P.29/P.36 アンコールワット
Angkor Wat
国道6号線
National Rd. No.6
ロイヤル・アンコール国際病院 P.157
Royal Angkor International Hospital
戦争博物館
War Museum
ロイヤル・アンコール・リゾート
Royal Angkor Resort
P.133 テンプレーション
Templation
アンコール・ボタニカル・
P.12 ガーデン
Angkor Botanical Garden
アンコール・ハワード
Angkor Howard Hotel
エンプレス・アンコール
Empress Angkor Hotel
キリング・フィールド
Killing Field
カンボジアン・カルチュラル・ヴィレッジ
Cambodian Cultural Village
国道6号線
シェムリアップ川
環状道路
P.130 アナンタラ・アンコール
Anantara Angkor Resort & Spa
P.84 チ・レストラン&バー
Chi Restaurant & Bar
アンコール・ゴルフ・リゾート
Angkor Golf Resort
P.129 サライ・リゾート&スパ
Sarai Resort & Spa
P.136 プーム・バイタン
Phum Baitang Zannier
P.113 シーズンズ・スパ
Seasons Spa
P.79 スプーンズ
SPOONS
P.12 ウェイク・パーク・カンボジア
Wake Park Cambodia
シェムリアップ P.8-9
Sombai Rd.
P.76 ラ・ケマラ・ポーラート
La Kh'Mère Poulart
P.13 チョコレート・ガーデン
Chocolate Gardens
環状道路
ワット・アトヴィア
Wat Athvear
プノン・クロム
A
B
C
1
2
3
4

バンテイアイ・スレイ
クオル・コー
Krol Ko
ニャック・ポアン
Neak Pean
一之瀬泰造の墓
Tomb of Taizo Ichinose
プノン・ボック
Phnom Bok
ロリュオス川
Roluos River
P.63 東メボン
East Mebon
東バライ
East Baray
バンテアイ・サムレ P.61
Banteay Samre
タ・プローム P.26
Ta Prohm
プレ・ループ P.29/P.63
Pre Rup
プラサット・コムナップ
Prasat Komnap
ンテアイ・クデイ
P.61 Banteay Kdei
スラ・スラン P.23
Srah Srang
アンコールトム周辺 P.6-7
プサラ機構
SARA Authority
チケットセンター P.34
シェムリアップ・ブーヨン・
カントリー・クラブ
Siem Reap Booyoung Country Club
国道6号線
National Rd. No.6
Ring Rd.
プノンペン
長距離バス乗り場
Bus Station
P.65 ロレイ
Lolei
コートヤード・バイ・マリオット・
シェムリアップ・リゾート P.130
Courtyard by Marriott Siem Reap Resort
P.65 プリア・コー
Preah Ko
P.64 ロリュオス遺跡群
Roluos Group
バコン P.64
Bakong
プラサット・プレイ・モンティ
Prasat Prei Monti
D
E
F
1
2
3
4

A
1
2
3
4
B
C
プラサット・トンレ・スングゥト
Prasat Tonle Sngout
プリア・カン P.60
Preah Khan
クオル・ロメアス
Krol Romeas
環濠
プラサット・チュルン
Prasat Chrung
北大門
North Gate
プラサット・チュルン
Prasat Chrung
ライ王のテラス P.59
Leperking Terrace
P.58 王宮跡
Royal Palace
象のテラス P.59
Elephant Terrace
P.58 バプーオン
Baphuon
勝利の門
Victory Gate
トムマノン
Thommanon
スピア
Spean Th
タ・ケウ
Ta Ke
チャウ・サイ・テヴォダ
Chau Say Tevoda
マンガラーラタ
Mangalarath
西大門
West Gate
P.53 バイヨン
Bayon
死者の門(東大門)
East Gate
遺跡 486
Monument 486
P.52 アンコールトム
Angkor Thom
ベウン・トム
Beung Thom
南大門
South Gate
プラサット・チュルン
Prasat Chrung
プラサット・チュルン
Prasat Chrung
コンキア・アンコール P.29
Kongkear Angkor
環濠
バクセイ・チャムクロン
Baksei Chamkrong
P.23/P.29 プノン・バケン
Phnom Bakheng
Siem Reap River
シェムリアップ川
環濠
タ・プローム・ケル
Ta Prohm Kel
アンコール・バルーン P.23
Angkor Balloon
参道
Causeway
聖池
Holy Pond
工事中
西塔門
West Gate
聖池
Holy Pond
アンコールワット P.22/P.29/P.36
Angkor Wat
環濠

D
E
F
1
2
3
4
ニャック・ポアン
Neak Pean
タ・ソム P.62
Ta Som
シェムリアップ川
Siem Reap River
タ・ネイ
Ta Nei
P.63 東メボン
East Mebon
東バライ
East Baray
P.29/P.63 プレ・ループ
Pre Rup
タ・プローム P.26
Ta Prohm
P.61 バンテアイ・クデイ
Banteay Kdei
スラ・スラン P.23
Srah Srang
プラサット・トップ
Prasat Top
P.27
クトム・スレ・クメール・フード
Ktom Sre Khmer Food
プラサット・バッチュム
Prasat Bat Chum
プラサット・クラヴァン
Prasat Kravan
アンコールトム周辺
Angkor Thom
周辺図 P.4-5
0 250 500m
1:36,000
N

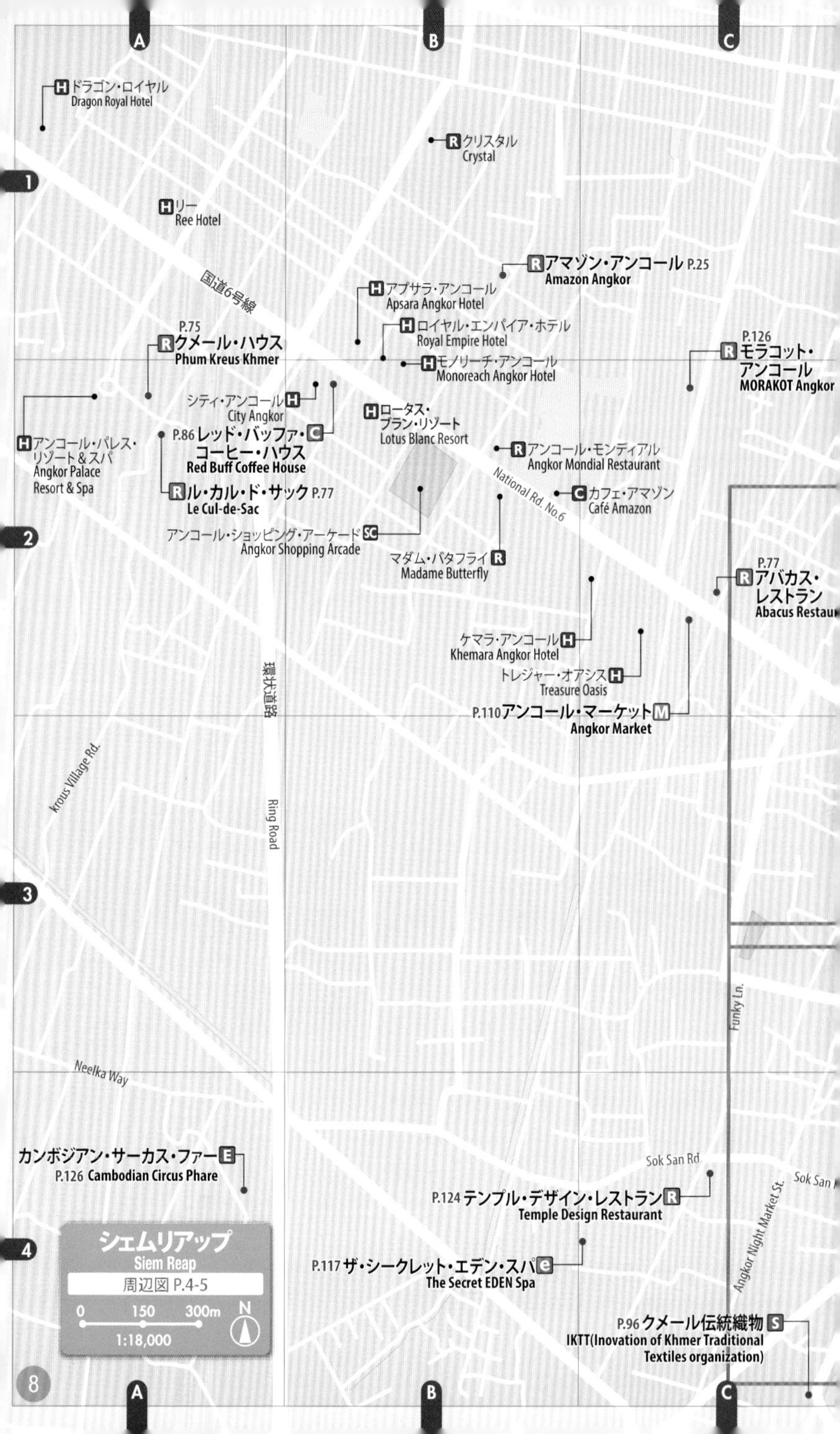

A
B
C
1
2
3
4
Hドラゴン・ロイヤル
Dragon Royal Hotel
Rクリスタル
Crystal
Hリー
Ree Hotel
Rアマゾン・アンコール P.25
Amazon Angkor
国道6号線
Hアプサラ・アンコール
Apsara Angkor Hotel
Hロイヤル・エンパイア・ホテル
Royal Empire Hotel
P.75
Rクメール・ハウス
Phum Kreus Khmer
Hモノリーチ・アンコール
Monoreach Angkor Hotel
P.126
Rモラコット・アンコール
MORAKOT Angkor
シティ・アンコールH
City Angkor
Hロータス・ブラン・リゾート
Lotus Blanc Resort
Hアンコール・パレス・リゾート＆スパ
Angkor Palace Resort & Spa
P.86 レッド・バッファ・コーヒー・ハウスC
Red Buff Coffee House
Rアンコール・モンディアル
Angkor Mondial Restaurant
Rル・カル・ド・サック P.77
Le Cul-de-Sac
National Rd. No.6
Cカフェ・アマゾン
Café Amazon
アンコール・ショッピング・アーケードSC
Angkor Shopping Arcade
マダム・バタフライR
Madame Butterfly
P.77
Rアバカス・レストラン
Abacus Restau
ケマラ・アンコールH
Khemara Angkor Hotel
トレジャー・オアシスH
Treasure Oasis
環状道路
P.110 アンコール・マーケットM
Angkor Market
krous Village Rd.
Ring Road
Funky Ln.
Neelka Way
カンボジアン・サーカス・ファーE
P.126 Cambodian Circus Phare
Sok San Rd.
Sok San
P.124 テンプル・デザイン・レストランR
Temple Design Restaurant
Angkor Night Market St.
シェムリアップ
Siem Reap
周辺図 P.4-5
0 150 300m
1:18,000
N
P.117 ザ・シークレット・エデン・スパe
The Secret EDEN Spa
P.96 クメール伝統織物S
IKTT(Inovation of Khmer Traditional Textiles organization)

D
E
F
シェムリアップ北部 P.10-11
ソカ・パレス・シェムリアップ
Sokha Palace Siem Reap
ル・メリディアン
Le Meridian Angkor
ジャヤヴァルマン7世子供病院
Jayavarman 7 Children Hospital
ジャヤヴァルマン7世病院
Jayavarman 7 Hospital
戦士慰霊塔
Vimean Sob
P.128 ソフィテル・アンコール・プーキートラー・ゴルフ&スパ・リゾート
l Angkor Phokeethra Golf & Spa Resort
Siem Reap River
Angkor Wat Rd.
シェムリアップ中部 P.12-13
1
2
3
4
River Rd
アンコールワット通り
P.97 アンコール国立博物館
Angkor National Museum
ラッフルズ・グランド・ホテル・ダンコール P.129
Raffles Grand Hotel d'Angkokr
ソカ・アンコール
Sokha Angkor Resort
シェムリアップ川
ヴィクトリア・アンコール・リゾート&スパ
Victoria Angkor Resort & Spa
National Rd. No.6
アンコール・デイ・ホテル
Angkor Holiday
ジェイ・セブン
J7
Sivatha Blvd.
FCCアンコール
FCC
プサー・サマキ
Phsar Samaki
フリーダム
Freedom
P.109 プサー・ルー
Phsar Leu
Pokanbor Ave.
St. Tep Vong
Central Market St.
ボレイ・アンコール・リゾート&スパ
Borei Angkor Resort & Spa
Siem Reap River
Wat Bo Rd.
オールドマーケット P.98
Psar Chas (Old Market)
St. 22
Lok Taneuy Rd.
アンコール・ヴィレッジ・ホテル
Angkor Village Hotel
ル・クラウン・ホテル
Royal Crown
ラップ・ディー・カンボジア・シェムリアップ
Lub d Cambodia Siem Reap
ポー・キュイジーン
Por Cuisine
St. 7 Makara
シェムリアップ南部 P.14-15

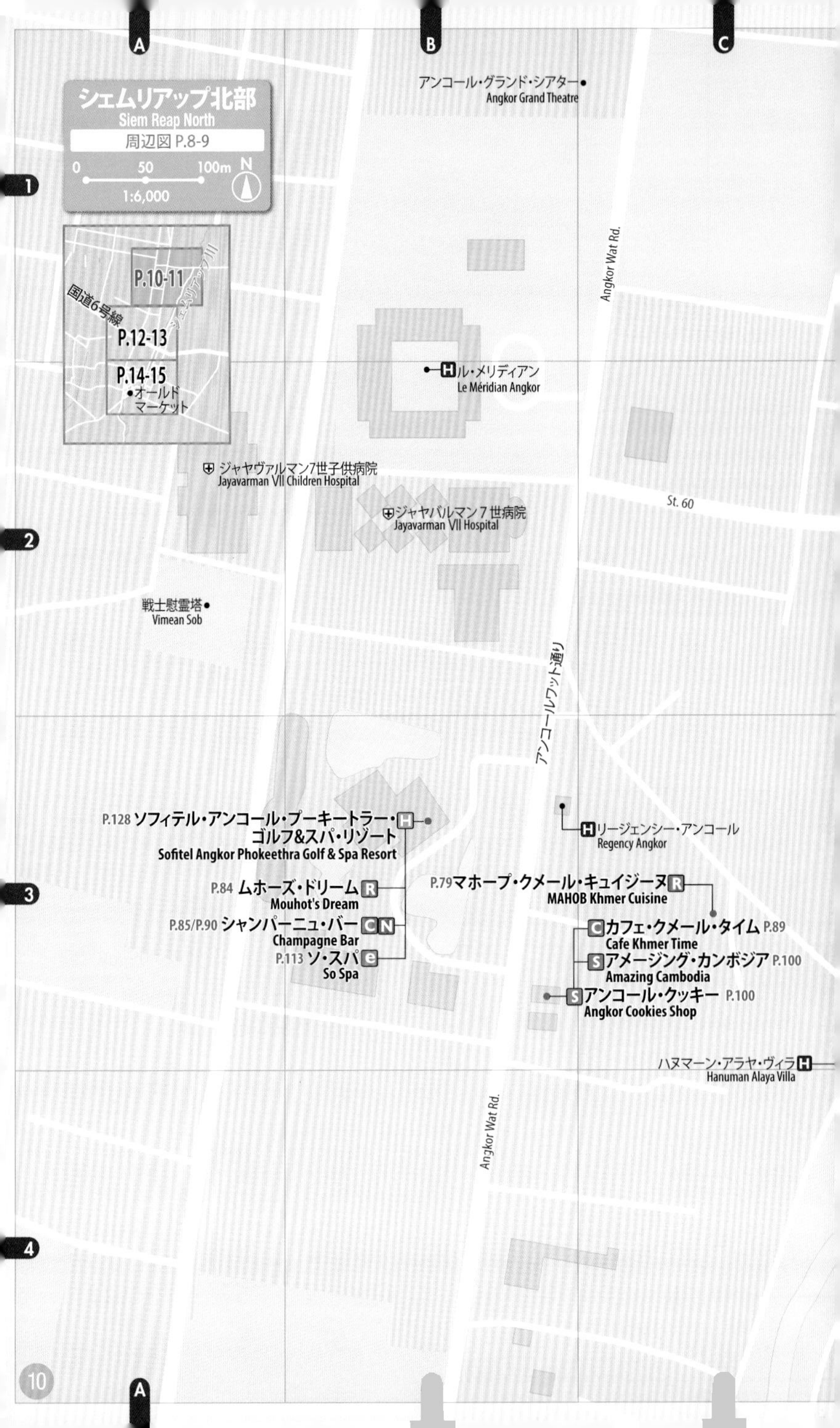

シェムリアップ北部
Siem Reap North
周辺図 P.8-9
0 50 100m N
1:6,000
P.10-11
P.12-13
P.14-15
国道6号線
シェムリアップ川
オールドマーケット
アンコール・グランド・シアター
Angkor Grand Theatre
ル・メリディアン
Le Méridian Angkor
Angkor Wat Rd.
ジャヤヴァルマン7世子供病院
Jayavarman Ⅶ Children Hospital
ジャヤバルマン7世病院
Jayavarman Ⅶ Hospital
St. 60
戦士慰霊塔
Vimean Sob
アンコールワット通り
P.128 ソフィテル・アンコール・プーキートラー・ゴルフ&スパ・リゾート
Sofitel Angkor Phokeethra Golf & Spa Resort
リージェンシー・アンコール
Regency Angkor
P.84 ムホーズ・ドリーム
Mouhot's Dream
P.79 マホープ・クメール・キュイジーヌ
MAHOB Khmer Cuisine
P.85/P.90 シャンパーニュ・バー
Champagne Bar
カフェ・クメール・タイム P.89
Cafe Khmer Time
P.113 ソ・スパ
So Spa
アメージング・カンボジア P.100
Amazing Cambodia
アンコール・クッキー P.100
Angkor Cookies Shop
ハヌマーン・アラヤ・ヴィラ
Hanuman Alaya Villa
Angkor Wat Rd.

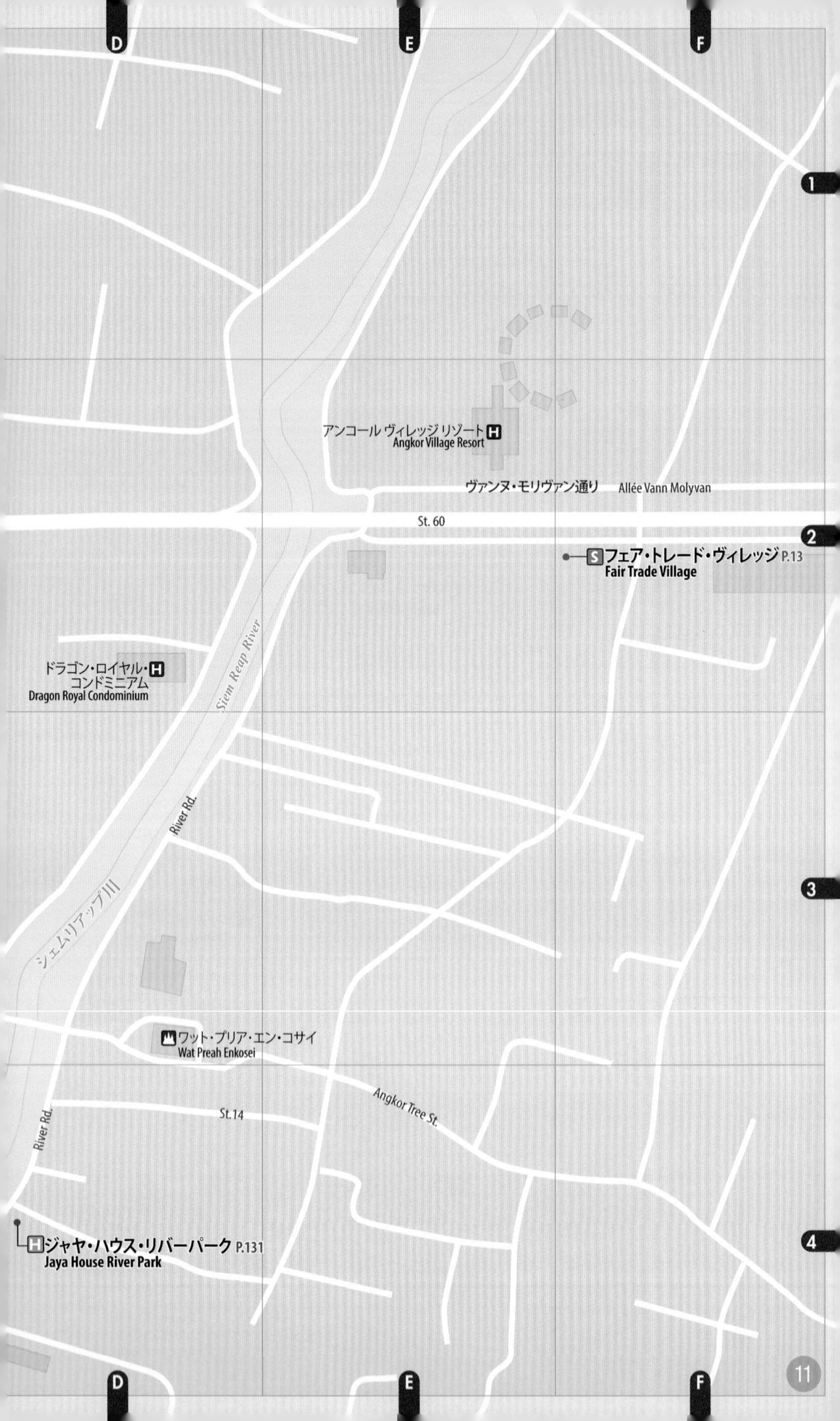
D
E
F
1
2
3
4
アンコール ヴィレッジ リゾート
Angkor Village Resort
ヴァンヌ・モリヴァン通り
Allée Vann Molyvan
St. 60
フェア・トレード・ヴィレッジ P.13
Fair Trade Village
ドラゴン・ロイヤル・コンドミニアム
Dragon Royal Condominium
Siem Reap River
River Rd.
シェムリアップ川
ワット・プリア・エン・コサイ
Wat Preah Enkosei
St.14
Angkor Tree St.
River Rd.
ジャヤ・ハウス・リバーパーク P.131
Jaya House River Park

シェムリアップ中部
Siem Reap Central
周辺図 P.8-9
0
60
120m
N
1:6,000
P.10-11
P.12-13
P.14-15
国道6号線
シェムリアップ川
オールド
マーケット
A
B
C
1
2
3
4
トンレサップ R
Tonle Sap
Platinum Rd.
国道6号線
National Rd. No.6
H イキイキ・ゲストハウス
IKI IKI GH
R バンテアイ・スレイ P.83
Banteay Srey
アンコール・センチュリー H
ANGKOR CENTURY
H ソカ・アンコール
Sokha Angkor Resort
アンコール・パラダイス・ホテル H
Angkor Paradice
R ラタナ・レストラン P.83
Ratana Restaurant
ワット・
ケサララーム
Wat Kesararam
S アジア
マーケ
Asia Mar
P.87 ブラウン・コーヒー C
Brown Coffee
S タケオ・ゲストハウス
Takeo GH
Sivatha Blvd.
H アンコール・ホ
Angkor Holiday
P.122 ヘリテージ・ウオーク S
The Heritage Walk
C フレッシュ・フルーツ・P.89
ファクトリー
Fresh Fruit Factory
シヴォタ通り
P.108 ナチュラル S
Natural
P.108 ソンバイ S
Sombai
P.108 スモール・アート・スクール S
Small Art School
P.109 モロドック・セラミック S
Morodock Ceramic
P.108 メイド・イン・カンボジア・マーケット S
Made in Cambodia Market
St. Oum
Taphul Rd.

D
E
F
1
2
3
4
ザ・シクロ・ドゥ・アンコール・ブティックホテル
The Cyclo d'Angkor Boutique Hotel
Angkor Wat Rd.
Siem Reap River
P.97 アンコール国立博物館
Angkor National Museum
アンコールワット通り
シェムリアップ川
P.129 ラッフルズ・グランド・ホテル・ダンコール
Raffles Grand Hotel d'Angkor
P.75 1932
1932
P.85 ザ・コンサバトリー
The Conservatory
P.91 エレファント・バー
Elephant Bar
ワット ポーランカ
Wat Po Lamg ka
アマンサラ
Amansara
ヘリテージ・スイーツ・ホテル
Heritage Suites Hotel
P.84 ヘリテージ・レストラン
Heritage Restaurant
ヴィクトリア・アンコール リゾート＆スパ
Victoria Angkor Resort & Spa
St. 18
ロイヤル・インディペンデンス・ガーデン P.123
Royal Independence Gardens
プリア・アン・チェイ／プリア・アン・チョム P.122
Preah Ang Chek / Preah Ang Chom
道6号線
ジェイ・セブン
J7
National Rd. No.6
Men's Rd.
ロイヤル・レジデンス
Royal Residence
ポーカンボー通り
FCC アンコール
FCC
サトゥ・コンセプト・ストア
P.107/P.123 SATU Concept Store
ムディタ・スパ P.112
Mudita Spa
シンタ・マニ・シャック
Shinta Mani Shack
パレート・アンコール・レストラン&バー P.79
Palate Angkor Restaurant & Bar

A
B
C
1
2
3
4
レモングラス・ガーデン・スパ
P.117 Lemongrass Garden Spa
P.83 チャンレアス10マカラ
Chan Reash 10 Makara
デヴァタラ・スパ P.114
Devatara Spa
P.131 パーク・ハイアット
Park Hyatt Siem Reap
バイ・バイ・バイ・レストラン
P.82 333 Restaurant
P.85 ザ・リビング・ルーム
The Living Room
P.87 グラスハウス
The Glasshouse
P.113 ザ・スパ
The Spa
P.110 アジア・マーケット
Asia Market
P.103 アンドコー
andkoy
P.86 コモン・グランド
Common Grounds Cafe
P.97 ガーデン・オブ・デザイア
Garden of Desire Kandal Village
P.105 メゾン・シリバン
Maison Sirivan
P.103 ディオ・ギャラリー
Diwo Gallery
P.102 スラマイ
SRA MAY
ザ・アヴィアリー・ホテル
The Aviary Hotel
P.135
ディー・エス・ケー
P.103 DSK
P.116 フランジパニ・スパ
Frangipani Spa
P.103 ショップ676
Shop 676
P.102 クラー
Khla
P.118
ロキシー・ネイル&スパ
Roxy Nail & Spa
P.118 ザ・センス・ブラインド・マッサージ
The senses - blind massage
シェムリアップ州立病院
Siem Reap Provincial Hospital
P.74 Malis マリス
P.78 チャンレイ・ツリー
Chanrey Tree
P.116 ソッカ・スパ・リバーサイド
Sokkhak Spa River Side
アサナ・オールド・ウッド・ハウス・カクテルバー
Asana Old Wooden House Cocktail Bar P.91
P.90 ソッカ・リバー・ラウンジ
Sokkhak River Lounge
ワット・プレア・プロム・レイス
P.120 Wat Preah Prom Rath
ボディア・スパ P.107/P.117
Bodia Spa Siem Reap
セントゥール・ダンコール
Senteurs d'Angkor
オリーブ P.77
Olive Cuisine de Sa
ベリー・ベリー
very berry P.98/P.121
P.99 アシ
Ashi
MCネイル P.118
MC Nail & Spa
(Toe & Foot Treatment)
P.101
スターバックス
Starbucks
P.101 ハリハラ
Hari Hara
P.13 グリーン・マーケット
Green Market Siem Reap
P.125 Xバー
X-Bar
P.92
レッド・ピアノ
THE RED PIANO
P.92
ロバム
ROBAM
P.114 リアル・スパ
Real Spa
ソッカ・スパ・ソクサン
P.124 Sokkhak Spa - Sok San
エリア・グリーク・キッチン
P.81 Elia Greek Kitchen
ホステル ご縁
Hostel Goen
ジャングル・バーガー P.125
Jungle Burger
スマテリア P.99
Smateria
P.115 カヤ・スパ
Kaya Spa
P.104 ブラッシュ・ブティック
Blush Boutique
オールド・マーケット
P.98 Psar Chas(Old Market)
バコン・レストラン
P.88 Bakong Restaurant and Cafe
レイズ・マレッ・カンポット・カフェ P.87
Rays Mrech Kampot Cafe-Kampot pepper
Ibis Styles
アーティザン・アンコール P.97
Artisans Angkor
サラスースー P.99/P.121
SALASUSU
クル・クメール P.107/P.121
Kru Khmer Old Market Shop
ローカル・ファッション P.105
Local Fashion
P.120 リバーサイド・ナイト・マーケット
Riverside Night Market
P.88 スラトウム
SlaToum
P.91 ワイルド クリエイティブ・バー&イータリー
WILD - Creative Bar & Eatery
P.80 フェリーニ
Fellini
Taphul Rd.
Sivatha Blvd.
シヴォタ通り
St. Tep Vong
St. 05
Central Market St.
Angkor Night Market St.
2 Thnou St.
Night Market St.
St. 07
The Lane
St. 08
Sok San Rd.
Alley W.
St. 09
Steung Thmei
Old Market Bridge
Achar Sva St.
Vishnu Circle
Pokanbor Ave.
シェムリアップ川
Psa Kroum Rd.
Siem Reap River
Bamboo Street

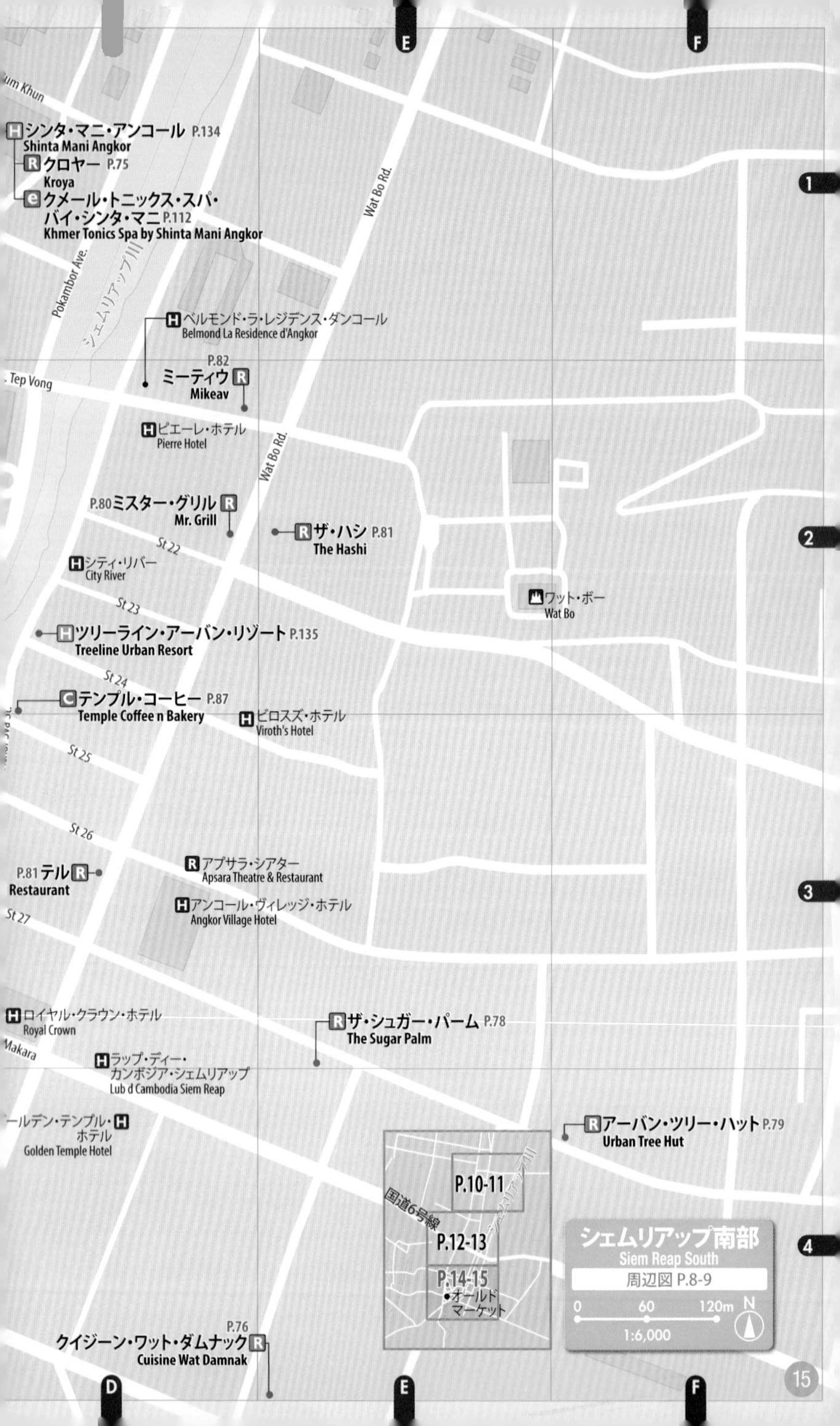
シンタ・マニ・アンコール P.134
Shinta Mani Angkor
クロヤー P.75
Kroya
クメール・トニックス・スパ・バイ・シンタ・マニ P.112
Khmer Tonics Spa by Shinta Mani Angkor
ベルモンド・ラ・レジデンス・ダンコール
Belmond La Residence d'Angkor
P.82 ミーティウ
Mikeav
ピエーレ・ホテル
Pierre Hotel
P.80 ミスター・グリル
Mr. Grill
ザ・ハシ P.81
The Hashi
シティ・リバー
City River
ツリーライン・アーバン・リゾート P.135
Treeline Urban Resort
テンプル・コーヒー P.87
Temple Coffee n Bakery
ビロスズ・ホテル
Viroth's Hotel
P.81 テル
Restaurant
アプサラ・シアター
Apsara Theatre & Restaurant
アンコール・ヴィレッジ・ホテル
Angkor Village Hotel
ロイヤル・クラウン・ホテル
Royal Crown
ザ・シュガー・パーム P.78
The Sugar Palm
ラップ・ディー・カンボジア・シェムリアップ
Lub d Cambodia Siem Reap
ールデン・テンプル・ホテル
Golden Temple Hotel
アーバン・ツリー・ハット P.79
Urban Tree Hut
P.76 クイジーン・ワット・ダムナック
Cuisine Wat Damnak
ワット・ボー
Wat Bo
Wat Bo Rd.
Pokambor Ave.
シェムリアップ川
Tep Vong
St 22
St 23
St 24
St 25
St 26
St 27
Makara
国道6号線
P.10-11
P.12-13
P.14-15
オールドマーケット
シェムリアップ南部
Siem Reap South
周辺図 P.8-9
0 60 120m
1:6,000
N
D
E
F
1
2
3
4

A
B
C
1
2
3
4
トゥールコック・マーケット
Toul Kork Market
カンボジア王立鉄道
ロシア通り(110)
王立プノンペン大学
Royal Univercity of Phnom Penh
ナショナル・ペディアトリック病院
National Pediatric Hospital
カンプチアクラオム通り(128)
ネルー通り(215)
マオセトゥン通り(毛沢東通り)(245)
プノンペン国際空港 P.152
クレアン・ロムセウ・マーケット
Khlang Romsēv Market
ニュー・メン・シティ
New Men City
シャルル・ド・ゴール通
シティ・モー
City Mall
オリンピック・スタジア
Olimpic Stadiu
ダムコー・マーケット
Deam Kor Market
オリンピック・マーケット
Olympic Market
モニレット通り(217)
ワット・ストゥン・ミエンチェイ
Wat Steung Meanchey
キリングフィールド
プノンペン
Phnom Penh
周辺図 P.2-3
0 200 400m
1:24,000
N

ウドン
ホリデイ
Holiday
プノンペン・ホテル
Phnom Penh
シソワット通り(1)
Wat Pothiyaram
Wat Chas
P.141 SORA ソラ
ワット・プノン P.139
Wat Phnom
トンレサップ川
Tonle Sap River
ローズウッド・プノンペン
Rosewood Phnom Penh
P.145
シヴァ・シャクティ P.141
Shiva Shakti Restaurant
プノンペン駅
Phnom Penh
Canadia Tower
オールド・マーケット
Old Market
ソマスパ P.143
Somaspa
ノロドム通り(41)
P.138 セントラル・マーケット
Central Market
カンダル・マーケット
Kandl Market
Wat Sampov
Livis
ソカ・プノンペン
Sokha Phnom Penh
ソリヤ・センター・ポイント
Sorya Center Point
P.139 プノンペン国立博物館
Phnom Penh National Museum
シソワット通り(1)
ソティアロス通り
王宮 P.139
Royal Palace
シルバー・パゴダ P.139
Silver Pagoda
モニボン通り(93)
オルセー・マーケット
Orrussey Market
オリンピアシティ
Olympia City
独立記念塔
Independence Monument
シアヌーク通り(274)
ワット・マハ・モンティ
Wat Moha Montrei
プノンペン中心部 P.18-19
丸亀製麺
Marukame Udon
P.139
トゥール・スレン虐殺博物館
Tuolsleng Genocide Museum
ノロドム通り(41)
ソティアロス通り(3)
ケン・クリニック
Ken Clinic
P.142
アメージング・カンボジア
AMAZING CAMBODIA
イオンモール・プノンペン
Aeon Mall Phnom Penh
ボディア・スパ P.143
Bodia Spa
シルク・ハウス P.142
SILK HOUSE
ダイヤモンド・アイランド
Diamond Island
ロシアン・マーケット
Toul Tompoung Market
ニサット・シーフード・ハウス P.140
Nesat Seafood House
マオセントゥン通り(245)
ソフィテル・プノンペン
Sofitel Phnom Penh Phokeethra
キニン P.141
Kinin
在カンボジア日本国大使館 P.157
Embassy of Japan in Cambodia
クラフト P.142
-Khraft- Cambodia's Arts & Crafts Store

プノンペン中心部
Central Phnom Penh
周辺図 P.16-17
0 80 150m
1:9,000
P.140 ブション・ワイン・バー
Bouchon Wine Bar
プランテーション・アーバン・リゾート＆スパ
The Plantation Urban Resort & Spa
エッセンス ホテル プノンペン
Essence Hotel-Phnom Penh
コートヤード・バイ・マリオット・プノンペン
Courtyard by Marriott Phnom Penh
ラッフルズ・メディカル
Raffles Medical
P.141 エクリプス・スカイ・バー＆レストラン
Eclipse Sky Bar & Restaurant
ホワイト・マンション・ブティックホテル
White Mansion Boutique Hotel
プノンペン・タワー
Phnom Penh Tower
フォー・フォーチューン
Pho Fortune
東屋ホテル
Azuma-ya Hotel
ザ リッツ ホテル＆スイーツ
The Litz Hotel & Suites
シアヌーク通り
Preah Sihanouk Blvd (274)
ランカー寺
Wat Langka
P.145 バイトン・ホテル&リゾート
Baitong Hotel & Resort
Dekcho Damdin St. (154)
Jayavarman 7 St. (172)
Okhna Ket St. (174)
Samdach Preah Sokun Meanbon St. (178)
Keo Chea St. (184)
Oknha Men St. (200)
Samdach Chakrei Ponn St. (208)
Samdach Pan Ave (214)
Josep Broz Tito(214)
Samdach Sangkreach Tieng St. (222)
Samdech Mongkol Iem St. (228)
Preah Ang Phanavong St.(240)
Oknha Pich St. (242)
Senei Vinnavaut Oum Ave
Oknha Chrun You Hak St.(294)
Preah Monivong Blvd (93)
モニボン通り(93)
Preah Trasak Paem St. (63)
Rue Pasteur (51)
Preah Norodom
25
107
232
252
282
288
59
55

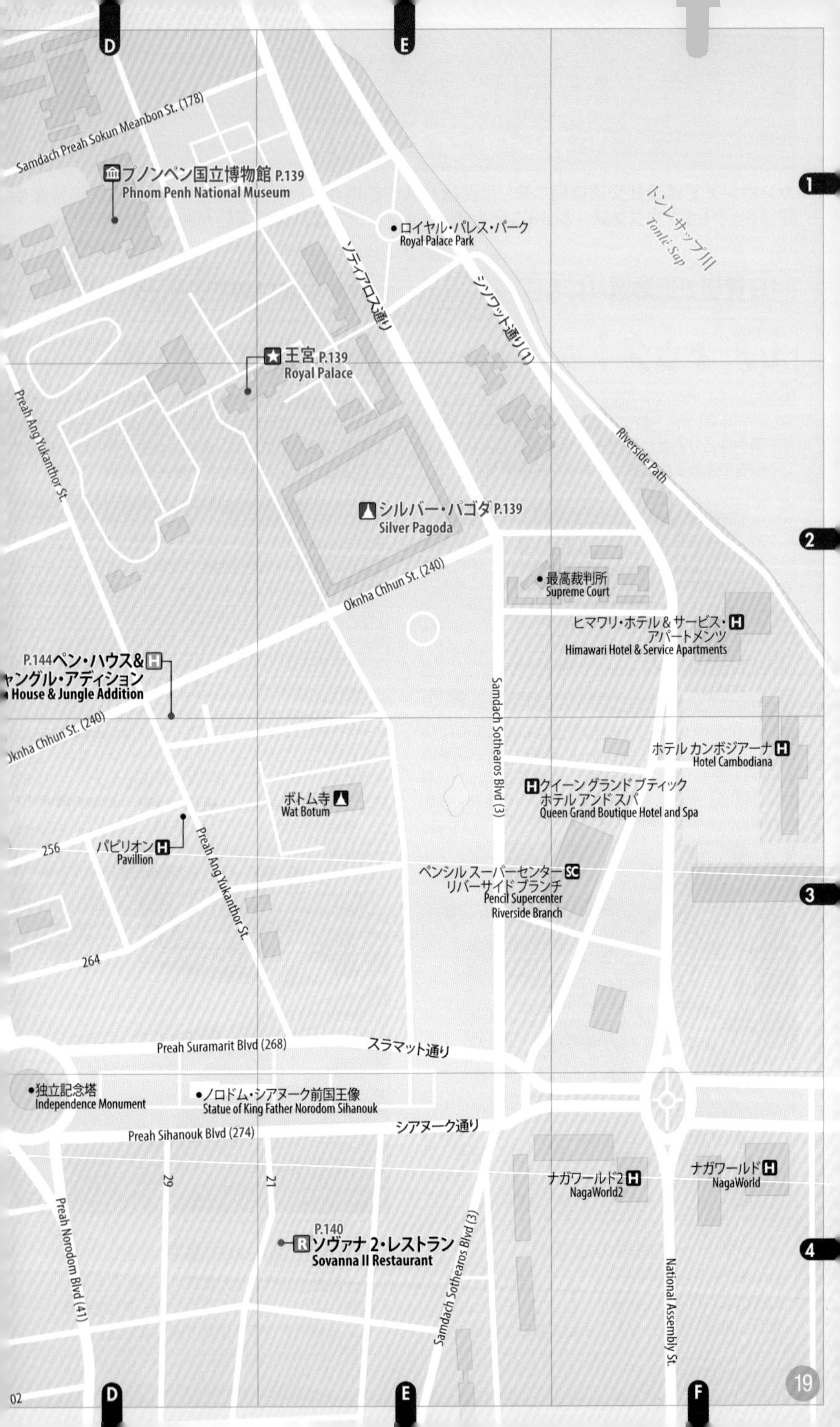

D
E
F
1
2
3
4
Samdach Preah Sokun Meanbon St. (178)
プノンペン国立博物館 P.139
Phnom Penh National Museum
ロイヤル・パレス・パーク
Royal Palace Park
トンレサップ川
Tonlé Sap
ソティアロス通り
シソワット通り(1)
王宮 P.139
Royal Palace
Preah Ang Yukanthor St.
Riverside Path
シルバー・パゴダ P.139
Silver Pagoda
Oknha Chhun St. (240)
最高裁判所
Supreme Court
ヒマワリ・ホテル＆サービス・アパートメンツ
Himawari Hotel & Service Apartments
P.144 ペン・ハウス＆ャングル・アディション
House & Jungle Addition
Samdach Sothearos Blvd (3)
ホテル カンボジアーナ
Hotel Cambodiana
ボトム寺
Wat Botum
クイーン グランド ブティック ホテル アンド スパ
Queen Grand Boutique Hotel and Spa
256
パビリオン
Pavillion
ペンシル スーパーセンター リバーサイド ブランチ
Pencil Supercenter Riverside Branch
264
Preah Suramarit Blvd (268)
スラマット通り
独立記念塔
Independence Monument
ノロドム・シアヌーク前国王像
Statue of King Father Norodom Sihanouk
Preah Sihanouk Blvd (274)
シアヌーク通り
29
21
ナガワールド2
NagaWorld2
ナガワールド
NagaWorld
Preah Norodom Blvd (41)
P.140
ソヴァナ 2・レストラン
Sovanna II Restaurant
National Assembly St.
02

TRAFFIC INFORMATION
カンボジアの市内交通

カンボジアでは公共交通機関つまりは路線バスや鉄道がまだ整備されていない。市内の移動手段はトゥクトゥクやタクシーがメインとなる。プノンペンではバスの運転が開始された。

1日貸切で遺跡巡りにも!

トゥクトゥク Tuk Tuk

後ろに2~4人用のシートを乗せたバイク。乗用車よりスピードは遅いが、都市では小回りが利き便利。幌付きで雨やほこりも多少防げる。ホテルやゲストハウスで手配もできる正規のトゥクトゥクを選ぼう。

料金

基本的に料金は交渉制。郊外や早朝手配には割増料金がかかる。料金目安として1kmあたりUS$1と頭に入れておくと交渉に便利。メーター制のトゥクトゥクも。

市内1日貸切	US$13~18
市内移動	US$5~10
ロリュオス遺跡群巡り	US$40

利用のしかた

街角や流しのトゥクトゥクに声をかけるとすぐに停まってくれる。公認ドライバーは番号付きのベストの着用が義務付けられているので、こちらを選んで。目的地は地図上や電話番号で確認して料金の事前交渉を忘れずに。メーター制のトゥクトゥクも始まっている。

トゥクトゥク利用の注意点

ひったくりの被害がまだあるので荷物は抱える。料金のトラブルは公認制度になってから減ってきてはいるが、ホテルなどで手配するのが無難。

数が少ないのでチャーター利用

タクシー Taxi

中距離の移動ならタクシーがおすすめ。ホテルや旅行会社で手配して半日から1日チャーターするのが定番。炎天下の観光でエアコンの利いたタクシーは休憩もできて快適。流しは利用せずチャーターがベスト。

料金

呼び出し制のメータータクシーも増えてきているが、基本的にホテルや旅行会社で提示されるチャーターの料金が目安。ホテルなどに戻ってから支払いをする。

1日チャーター	ドライバーとガソリン代込みUS$50
空港タクシー	US$35~50 ※車両により異なる
メーター制初乗り	6000R(US$1)~ ※会社により異なる

利用のしかた

メーター制のタクシーでも流しのタクシーはほとんどいないので、ホテルに依頼するかタクシー会社へ直接連絡する。半日~のチャーターの場合ホテルや現地の旅行会社などに依頼して時間と行先、料金を確認しよう。英語が話せるかどうか、車種、人数によって料金は異なる。

タクシー利用の注意点

高速料金や郊外料金が加算されることもあるので確認しよう。アプリをダウンロードして配車サービスを利用するのも便利で安心な方法。

リピーターにおすすめ自転車

レンタサイクル Rental Cycle

欧米人に人気の自転車はマイペースで遺跡巡りができる。ただし炎天下をのんびり行く体力と時間が必要。

料金

ホテルやゲストハウスなどで1日US$1～5で貸し出しているが料金はさまざま。保証金を預ける必要がある。

利用のしかた

基本的にパスポートを預けるかデポジット(保証金)を預けて借りる。パスポートを預けるのは不安なので、保証金を用意したほうがベター。保証金は返却時に戻ってくる。

レンタサイクル利用の注意点

遺跡には正規の駐輪場がないためおみやげ店などで有料で預かっている。熱中症対策が必要なのと、道路が整備されていないことも考慮に入れよう。

値段交渉のノウハウとコツ

●相場を頭に入れておいてから交渉しよう

初心者の旅行客からなるべく高い料金を取りたいのがドライバーの心理。目的地までの距離や料金を事前に調べたりホテルで聞くなどして相場を把握、ドライバーに事情通をアピールするのも手。

●譲りどきを知って気持ちよく利用しよう

曖昧に乗車してから料金でもめたり、利用する気がないのに交渉したりするのはマナー違反。お互いに気持ちよく移動できるよう譲りどきを心得て。

市民にも大人気プノンペンの足

路線バス Bus

日本のJICA支援の公共バスはプノンペンで人気の市民の足。交通渋滞緩和にも貢献し、料金も格安。

料金

1日1回同一路線で1500R(約US$0.38)。

利用のしかた

利用路線をWebサイトなどで確認して、バス停でバスを待つ。料金の支払いは乗車時で、レシートを受け取り、降りたいバス停で降車。土地勘がないとやや利用が難しい。

プノンペン限定の人力車

シクロ Cyclo

自転車の前に座席を付けた人力車。漕ぎ手の高齢化や利用者の減少により消滅つつある乗り物だ。

料金

料金は交渉制。バイクタクシーよりやや高めで1日貸切約US$10～15、初乗り2500R～。

利用のしかた

スピードが遅く旅情あふれる移動手段だが、漕ぎ手が高齢などで数が減り外国人観光客向けに繁華街で待機していることが多い。声をかけて値段交渉をしてから乗車する。

配車サービスのアプリを活用しよう

パスアップ(PassApp)

現地の電話番号が必要だが、値段交渉の心配がない配車サービス。現在地と目的地と車種ををアプリで選ぶと、配車された車の番号やドライバーの情報が送られてくる。

グラブ(Grab)

東南アジアの大手配車アプリ。パスアップ同様アプリを事前にダウンロードしなければならない。また両サービスともに利用にはインターネット接続が必要なので注意しよう。

旅のクメール語＋英語
KHMER & ENGLISH CONVERSATION

観光客が多く英語が多くの場所で通じる。クメール語で基本的なあいさつができると相手も喜んでくれるかも。

基本フレーズ

＿＿＿をください(お願いします)。

Please ＿＿＿.
プリーズ ＿＿＿
សូម ＿＿＿
ソーム ＿＿＿

ex. これをください。

I'll take this.
アイル テイク ディス
ខ្ញុំនឹងយកមួយនេះ។
クニョーム ナーンヨークモイニィ

＿＿＿をしていただけますか。

Could you ＿＿＿?
クッジュー ＿＿＿
តើអ្នកអាច ＿＿＿ បានទេ?
ターネェアッー ＿＿＿ バンテー

ex. 地図を描いていただけますか。

Could you draw me a map ?
クッジュー ドロー ミァ マップ
តើអ្នកអាចគូរផែនទីបានទេ?
ターッネェアッー クー パインティー バンテー

＿＿＿はどこですか。

Where is ＿＿＿?
ウェア イズ ＿＿＿
តើ ＿＿＿ នៅឯណា?
ター ＿＿＿ ナウ アエナー

ex. 両替所はどこですか。

Where is the exchange counter ?
ウェア イズ ザ エクスチェンジ カウンター
តើការិយាល័យប្តូរប្រាក់នៅទីណា?
ター カーリヤライ パドーパッラッ(ク) ナウ アエナー

＿＿＿をしてもいいですか。

Can I ＿＿＿?
キャナイ ＿＿＿
ខ្ញុំអាច ＿＿＿ បានទេ?
ター クニョーム アイ ＿＿＿ バンテー

ex. 写真を撮ってもいいですか。

Can I take a picture ?
キャナイ テイクァ ピクチャー
តើខ្ញុំអាចថតរូបបានទេ?
ター クニョーム アイ トーォループ バンテー

街なかでの会話

空席はありますか。

Do you have any seats available ?
ドゥ ユー ハヴ エニィ シーツ アヴェイラボー
តើអ្នកមានកន្លែងទំនេរទេ?
ターネァックミエン カンライン トォムネー テー

すみません!

Excuse me.
エクスキューズ ミー
ខ្ញុំសុំទោស។
クニョーム ソームトー(ス)

私のです。

It's mime.
イッツ マイン
វាជារបស់ខ្ញុំ។
ヴィア ジィア ロッボー(ス) クニョーム

大丈夫です。

No problem.
ノー プロブレム
មិនអីទេ។
メィン アイテー

わかりません。

I can't understand.
アイ キャント アンダースタンド
ខ្ញុំមិនយល់ទេ
クニョーム メィン ヨール テー

ショッピングでの会話

カードは使えますか。

Do you take credit cards ?
ドゥ ユー テイク クレジットカーズ
តើខ្ញុំអាចប្រើកាតបានទេ?
ター クニョーム アイ プラウカー(ト) バンテー

袋をください。

Can I have a bag ?
キャナイ ハヴァ バッグ
ខ្ញុំសូមកាបូបមួយ។
クニョーム ソーム カボーップ モイ

いります。/いりません。

Yes, please. / I don't need it.
イェス プリーズ / アイ ドントゥ ニーディット
ខ្ញុំត្រូវការ / មិនត្រូវការ
クニョーム タロゥーカー / クニョーム メィンタロゥーカー

レストランでの会話

メニューを見せてください。

Can I see a menu ?
キャナイ スィー ア メニュー
សូមបង្ហាញម៉ឺនុយដល់ខ្ញុំ។
ソーム ボンハーン ムーヌゥイ

頼んだ料理がまだ来ません。

My order hasn't come yet.
マイ オーダー ハズント カム イェット
ម្ហូបដែលខ្ញុំបានកហ្មង់មិនទាន់មកដល់ទេ។
マホープ ダイル クニョーム カンモンムントゥアン
モークダル テー

店の中で食べます。／テイクアウトします。

For here. / To go.
フォー ヒァ / トゥー ゴー
ញ៉ាំនៅក្នុងហាង/យកចេញ។
ニャーム ナウクノン ハーン / ヨークチェン

会計をお願いします。

Check, please.
チェック、プリーズ
សូមគិតលុយ
ソーム クッルゥイ

トラブル時の会話

警察を呼んでください!

Please call the police !
プリーズ コール ザ ポリース
សូមហៅប៉ូលីស!
ソーム ハウ ポーリス

財布が盗まれました。

My wallet was stolen.
マイ ウォレット ワズ ストールン
កាបូបរបស់ខ្ញុំត្រូវបានគេលួច។
カボープクニョーム タロゥーバンケィルゥイ(チ)

頭痛がします。

I have a headache.
アイ ハヴァ ヘディック
ខ្ញុំឈឺក្បាល
クニョーム チュウクバール

救急車を呼んでください!

Please call an ambulance !
プリーズ コール アン アンビュランス
សូមទូរស័ព្ទទៅរថយន្តសង្គ្រោះបន្ទាន់!
ソーム ハウ ランペート

ホテルでの会話

チェックインをお願いします。

I'd like to check-in.
アイド ライク トゥ チェックイン
ខ្ញុំចង់ check-in
クニョン チョーン チェックイン

予約してあります。

I have a reservation.
アイ ハヴァ リザヴェイション
ខ្ញុំបានកក់ទុកមុនហើយ។
クニョーム バンコァ トゥッークモーン ハゥイ

荷物を預かっていただけますか。

Could you keep my luggage ?
クッジュー キープ マイ ラゲージ
តើអ្នកអាចទុកឥវ៉ាន់របស់ខ្ញុំបានទេ?
ターネアック アィ(チ) トゥッーク アイヴァン ロッボー(ス)
クニョームバンテー

朝食は何時からですか。

What time do you serve breakfast ?
ホワッタイム ドゥ ユー サーヴ ブレックファスト
តើអាហារពេលព្រឹកចាប់ផ្តើមពីម៉ោងប៉ុន្មាន?
ター アハーペールプラック ジャップダームピー
マォンポォンマーン

トラブル時に使う単語

警察署
ស្ថានីយ៍ប៉ូលីស
サタニー ポーリス

病院
មន្ទីរពេទ្យ
モンティーペート

事故証明書
លិខិតបញ្ជាក់គ្រោះថ្នាក់
リケット バンチャッククラックタナッ(ク)

アレルギー
អាឡែរហ្សី(ប្រតិកម្ម)
アラックシー

盗難証明書
លិខិតបញ្ជាក់ចោរកម្ម
リケット バンチャック チャオラカーム

風邪
ផ្ដាសាយ
パダス サアイ

泥棒
ចោរ
チャオウ

吐き気
ចង្អោរ
チャン アオウ

パスポート
លិខិតឆ្លងដែន
リケット チュローンダェイン

熱
ក្ដៅ មិនស្រួលខ្លួន
カダウ ミンスルークルーン

クレジットカード
កាតឥណទាន
カートアンナテイエン

骨折
បាក់ឆ្អឹង
バッ(ク)チャアン

保険
ការធានារ៉ាប់រង
カーテニアラップロン

薬
ថ្នាំ
タナーム

JN085263
付録
とりはずして使える
MAP
カンボジア街歩き地図
Common Grounds Cafe
P.105 メゾン・シリバン
Maison Sirivan
P.103 ディオ・ギャラリー
Diwo Gallery
P.102 スラマイ
SRA MAY
ザ・アヴィアリー・ホテル
The Aviary Hotel
P.135
ディー・エス・ケー
P.103 DSK
St. Tep Vong
P.116 フランジパニ・スパ
Frangipani Spa
P.103 ショップ676
Shop 676
P.102 クラー
Khla
Central Market St.
Sivatha Blvd.
P.118
ロキシー・ネイル＆スパ
Roxy Nail & Spa
P.118 ザ・センス-ブラインド・マッサージ
The senses - blind massage
P.99 アシ
Ashi
シェムリアップ州立病院
Siem Reap Provincial Hospital
P.74 Malis マリス
P.78 チャンレイ・ツリー
Chanrey Tree
2 Thnou St.
P.101
スターバックス
Starbucks
Night Market St.
P.125 Xバー
X-Bar
Real Spa
Jungle Burger
P.104 ブラッシュ・ブティック
Blush Boutique
バコン・レストラン
P.88 Bakong Restaurant and Cafe
Ibis Styles
Pokanbor Ave.
P.81 Ella Greek Kitchen
Bodia Spa
オールド・マーケット
P.98 Psar Chas(Old Market)
Olive Cuisine de Saison
ベリー・ベリー
very berry P.98/P.121
Old Market Bridge
Achar Sva St.
Vishnu Circle
サラスースー P.99/P.121
SALASUSU
クル・クメール P.107/P.121
Kru Khmer Old Market Shop
ローカル・ファッション P.105
Local Fashion
P.88 スラトウム
SlaToum
シェムリアップ川
P.120 リバーサイド・ナイト・マーケット
P.81 テル
Tell Restaurant
ロイヤル・ク
Royal Crown
St. 7 Makara
St. Oum Khun
Pokambor Ave
Golden Temple
Wat Bo Rd.
P.80 フェリーニ
地図凡例
観光・見どころ
博物館・美術館
ヒンドゥ寺院
仏教寺院
飲食店
カフェ
ショッピングセンター
ショップ
市場
エンターテインメント
ナイトスポット
エステ・マッサージ
宿泊施設
観光案内所
ゴルフ場
空港
バス乗り場
TAC出版
TAC PUBLISHING
切り取り線

おとな旅プレミアム
PREMIUM

付録

CONTENTS

カンボジア MAP 街歩き地図

街の交通ガイド付き

カンボジア アンコールワット

CAMBODIA, ANGKOR WAT

日本からの✈フライト時間

約7時間

カンボジアの空港

シェムリアップ・アンコール国際空港 ▶P.152
市内へタクシーで50〜60分

プノンペン国際空港 ▶P.152
市内へタクシーで40〜50分

ビザ

滞在日数にかかわらず必要 ▶P.150

時差

東京	0	1	2	3	4	5	6	7	8	9	10	11	12	13	14	15	16	17	18	19	20	21	22	23
カンボジア	22	23	0	1	2	3	4	5	6	7	8	9	10	11	12	13	14	15	16	17	18	19	20	21

通貨と換算レート

リエル（R）、USドル（US$）
100R＝約3.5円。
US$1＝約145円。（2024年9月現在）

チップ

基本的に不要 ▶P.11 ▶P.73

言語

クメール語

カンボジア アンコールワット

CONTENTS

アンコール遺跡でぜったいしたい5のコト …

BEST 5 THINGS TO DO IN ANGKOR

ANGKOR … 33
アンコール遺跡群

GOURMET … 71
グルメ

本書の使い方

●本書に掲載の情報は2024年8～9月の取材・調査によるものです。料金、営業時間、休業日、メニューや商品の内容などが、本書発売後に変更される場合がありますので、事前にご確認ください。
●本書に紹介したショップ、レストランなどとの個人的なトラブルに関しましては、当社では一切の責任を負いかねますので、あらかじめご了承ください。
●料金・価格は「US$」、「R」で表記しています。また表示している金額とは別に、税やサービス料がかかる場合があります。
●電話番号は、市外局番から表示しています。日本から電話をする場合には→P.149を参照ください。
●営業時間、開館時間は実際に利用できる時間を示しています。ラストオーダー（LO）や最終入館の時間が決められている場合は別途表示してあります。
●休業日に関しては、基本的に年末年始、祝祭日などを除く定休日のみを記載しています。

本文マーク凡例

- ☎ 電話番号
- 交 最寄り駅、バス停などからのアクセス
- Ⓜ 地下鉄駅
- 所 所在地 Ⓗはホテル内にあることを示しています
- 開 開館／開園／開門時間
- 営 営業時間
- 休 定休日
- 料 料金
- HP 公式ホームページ
- J 日本語が話せるスタッフがいる
- J 日本語のメニューがある
- E 英語が話せるスタッフがいる
- E 英語のメニューがある
- 予約が必要、または望ましい
- クレジットカードが利用できる

地図凡例

- ★ 観光・見どころ
- 博物館・美術館
- ヒンドゥ寺院
- 仏教寺院
- E エンターテインメント
- N ナイトスポット
- R 飲食店
- C カフェ
- SC ショッピングセンター
- S ショップ
- H 宿泊施設
- M 市場
- e エステ&スパ
- i 観光案内所
- 空港
- バス乗り場

あなたのエネルギッシュな好奇心に寄り添って、
この本はカンボジア滞在のいちばんの友達です！

誰よりもいい旅を！ あなただけの思い出づくり

カンボジアへ出発！

アンコールワット！それは広大な密林の中に夢のように忽然と現れる。
大伽藍はクメールの王たちの支配欲と栄華の象徴だった。
彼らはここを天上の楽園と謳い、神々が棲まう都に仕立て上げた。
王たちの欲望も、今はただ美しく、朝に夕に、旅人を圧倒する。

KHMER SMILE

目を引き付ける
クメールの微笑み

バイヨン寺院の観世音
菩薩は穏やかな微笑み
を浮かべる

CAMBODIA

DEVATA

新旧のクメール美人
時を越える気品に魅せられる

10世紀に建造されたバンデアス・スレイに残るデヴァターの彫刻

RELIGIOUS TRADITIONS

歴史ある寺院を歩けば
厳粛な気持ちに

アンコールワット(P.36)

パブ・ストリート(P.92)

活気に満ちた
夜のストリートを歩く

RESTAURANT

ル・カルド・サックでは、カンボジアらしい雰囲気の中で食事が楽しめる

紺碧の海が広がる
離島リゾートへ

ETHNIC GOODS

伝統工芸品はおみやげの定番。クメール伝統織物で高品質なアイテムを

 シハヌークヴィル沖の離島(P.146)

サライ・リゾート＆スパ(P.129)
暑い旅の疲れは
極上スパが癒やしてくれる
COUNTRY RESORT
伝統的な田園地帯を再現したリゾート、プーム・バイタン。リラックスした空気が流れる
PALACE
プノンペンにある王宮の即位殿は、1000リエル紙幣にも使われている
首都プノンペンで
優雅な夜の時を過ごす
エクリプス・スカイ・バー＆レストラン(P.141)

出発前に知っておきたい

どこに何がある？
どこで何する？

国はこうなっています！ カンボジアのエリアと主要スポット

ミステリアスな遺跡アンコール

アンコールワットやアンコールトムなど必見遺跡はもちろん、1日かけて周遊し、ゆったり訪問する秘境やビーチ・リゾートなどカンボジアの魅力は多彩だ。

タイ

バンテアイ・チュマール

アンコール遺跡群 A

アンコールワット

シェムリアップ B

C バッタンバン

トンレサップ湖

ワット・バナン

5

プルサット

コッコン

ボタム・サコール国立公園

レアム国立公園

シハヌークヴィル G

N

0 50km

数百年間、密林に眠っていたアンコール遺跡

A アンコール遺跡群 ▶P.33

Angkor

アンコール遺跡は、9世紀初頭から約600年以上にわたって栄華を極めたアンコール王朝の歴史的建造物。ヒンドゥ教と仏教の影響が混在し、緻密な彫刻の数々が残されている。19世紀後半フランス人によって密林の中で発見され、1992年にユネスコ世界遺産に登録された。

アンコール遺跡観光の出発点はここ

B シェムリアップ ▶P.119

アンコール遺跡巡り拠点の街

Siem Reap

アンコール遺跡観光の基点。シヴォタ通りを中心に、ホテルやレストランが林立する繁華街がある。喧騒を抜ければ田園地帯のトンレサップ湖を巡るクルーズも楽しめる。

バーのほかグルメ三昧にも

のどかな田園風景、ゆったりとした癒やしの街

C バッタンバン ▶P.148

Battambang

首都プノンペンの北西部、シェムリアップより西部にある素朴な観光地。タイからプノンペンへの陸上貿易中継地として繁栄。2～3日かけるようなゆっくりした観光に向いている。

カンボジアってこんな国

面積は18万km^2。日本の約半分の大きさの国でベトナム、ラオス、タイと国境を接する。低い山地に囲まれ、国の中心部は低い地形をなす。全長4500kmのメコン川に育まれる自然とアンコール遺跡に代表される伝統的文化が今も息づく魅惑の国。

メコン川沿いの素朴な都市でゆったり

D コンポン・チャム

● Kampong Cham

プノンペンの北東に位置しメコン川に面した一大都市。人々の多くは第一次産業に従事し、主な生産物はたばこやゴムなど。郊外には自然が広がり癒やしのひとときが楽しめる。

カンボジアに「命」を与え続けた水源

E トンレサップ湖

● Tonle Sap Lake

トンレサップは東南アジアで最大の天然湖。湖面は約2700km^2で東京都の面積を超えるが、雨季には氾濫し何倍にも広がる。漁業を営む水上集落の様子は見どころのひとつ。

エネルギッシュなカンボジアの中心

カンボジアの首都

F プノンペン ▶P.138

● Phnom Penh

カンボジアの政治経済の中心地。メコン川とトンレサップ川の合流地点にあり、貿易の中心地として栄えてきた。見どころは王宮や国立博物館、セントラル・マーケットなど。

世界中からやってくるバカンス客もイチオシ

G シハヌークヴィル ▶P.146

● Sihanoukville

カンボジア屈指のビーチリゾート。近年、美しい海が広がり手つかずの自然が残る離島エリアに新たなリゾートが続々オープン。世界各国から注目を浴びつつあり、賑わいをみせている。

まずはこれをチェック！
滞在のキホン

カンボジアの魅力を十分に味わうべく、事前に情報をチェックして、自分にピッタリの旅プランをたてよう。

カンボジアの基本

- **地域名(国名)**
  カンボジア王国
  Kingdom of Cambodia
- **首都**
  プノンペン
- **人口**
  約1701万人
  (2023年推計)
  プノンペンの人口は約228万人
- **面積**
  約18万1035km²
- **言語**
  クメール語
- **宗教**
  主に仏教。
  ほかにイスラム教、キリスト教など
- **政体**
  立憲君主制
- **元首**
  ノロドム・シハモニ国王
  (2004年10月～)

日本からの飛行時間

東京からプノンペンの直行便は7時間

2024年9月現在、直行便は成田国際空港からプノンペンのみ。シェムリアップへはプノンペン、バンコク、ハノイなどの経由で9時間程度(待ち時間除く)。

シェムリアップ・アンコール国際空港 ▶P152
プノンペン国際空港 ▶P152

為替レート&両替

100R(リエル)=約3.5円。US$1=約145円。

現地の日本円を取り扱う両替所で両替できる。手数料やレートが異なるので事前に確認しよう。現地両替所の方がレートがいいが、ビザを空港で申請する人は事前に日本の空港で両替するとよい。市内の銀行や郵便局では基本的に外貨の両替をしていないので注意。

パスポート&ビザ

パスポートの有効期限に注意

観光でもビザと6カ月以上有効のパスポートが必要。事前に在日カンボジア王国大使館や名誉領事館に申請する(郵送申請可)か、同外務省公式e-Visa申請サイトで発給もできる。現地でも到着空港や陸路の国境で簡単に申請できるが、混雑することも。

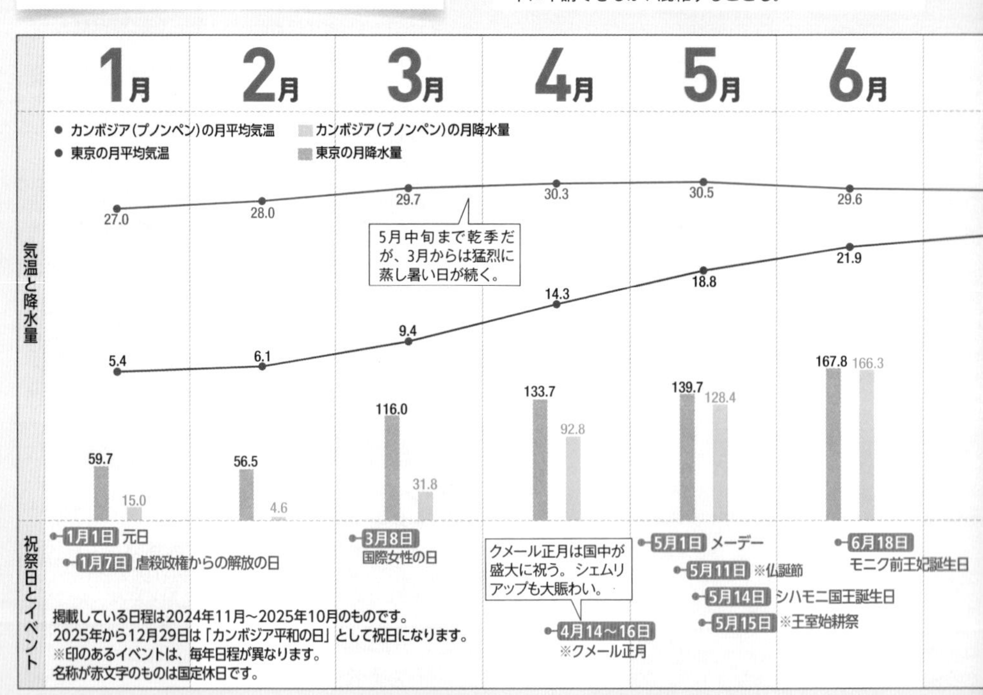

日本との時差

日本との時差は−2時間。例えば日本が正午なら、カンボジアは午前10時となる。

東京	0	1	2	3	4	5	6	7	8	9	10	11	12	13	14	15	16	17	18	19	20	21	22	23
カンボジア	22	23	0	1	2	3	4	5	6	7	8	9	10	11	12	13	14	15	16	17	18	19	20	21

言語

基本はクメール語

地元の人たちが使うのはクメール語。ただし観光やビジネスで日常的に外国訪問客に接するシェムリアップやプノンペンでは、誰もが実践で覚えた英語を使う。特有のなまりもあるが、簡単な単語と身振りで通じることが多い。ローカル市場や郊外はクメール語のみ。

交通事情

近場はトゥクトゥク、遠くはチャーターで

観光客の足として定番のトゥクトゥク(三輪タクシー)。料金は事前交渉だが、高く言われることも。事前に相場を調べるか、ホテルで予約してもらおう。チップは不要。遺跡の観光などは、チャーター・カーを手配してもらうと便利。専属運転手にはチップを。

物価&チップ ▶P.73

物価は安く、食事も買い物もお得感アリ!

観光客向け値段のレストランもあるが、地元のおしゃれなカフェや食堂、屋台などコスパ抜群の店もいっぱい。日用雑貨も安い。チップの習慣はないのでローカル店では不要。ホテルやマッサージ、ガイドなどには満足度に合わせ、US$1～3のチップを。

挨拶のマナー

かわいい子どもでも頭をなでないで

お辞儀ではなく、顔の前で合掌し、相手の目を見て挨拶するのがカンボジア式。日本式の食事の前の挨拶や合掌はなし。頭の上は神聖と考えられているので、子どもでも頭に触れないで。女性が僧侶に触れるのはNG。また女性の口笛や頬づえも不作法とされる。

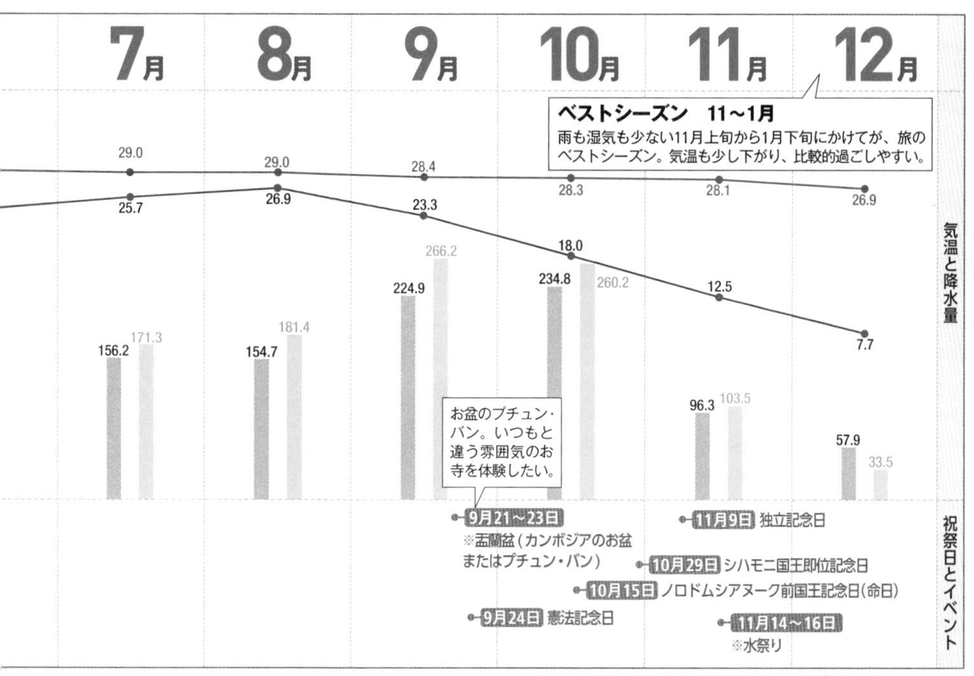

※月平均気温、月平均降水量は国立天文台編『理科年表2024』による

CAMBODIA 2022-2024

NEWS & TOPICS

ハズせない街のトレンド！

カンボジアのいま！ 最新情報

シェムリアップ周辺に新しいテーマパークやグルメスポットが続々オープン。

⬇思わず歓声を上げてしまそうな大きな水槽で、色々な魚を見ることができる

2022年11月オープン

水族館と動物園の2つを同時に満喫
アンコール・ワイルドライフ＆アクアリウム

カンボジア初の大型水族館。メコン川やトンレサップ湖など、海に生息する海水魚ではなく淡水魚がメイン。併設されている動物園では、屋外で自然に生息する動物たちも観察することができる。

●Angkor Wildlife & Aquarium
シェムリアップ郊外 MAP 付録P.2 B-2
☎081-502-555 交オールド・マーケットから車で1時間 所Kobun Village Khhas commune Sothnikun Damdek 開8:00～17:00(または18:00) 料US＄20 休無休

マレーグマも出迎えてくれる

2022年5月オープン

500種類の植物に癒やされる
アンコール・ボタニカル・ガーデン

東南アジア独特の植物を、ジャンル別に見ることができる植物園。併設のカフェではゆっくりと過ごすことができる。休日は地元の人も多く集い、賑わっている。

●Angkor Botanical Garden
シェムリアップ MAP 付録P.4 C-3
☎017-865-656 交オールド・マーケットから車で20分 所Charles De Gaulle 開8:00～18:00 料無料 休月曜

⬆動物もいるガーデン。ダチョウも見ることができる

2023年6月オープン

ウォーターアクティビティで非日常体験
ウェイク・パーク・カンボジア

ウェイクボードは初心者でも楽しめるようにインストラクターがいる。ほかにも子どもでも遊べるステージがあり週末は沢山の人々で賑わう。併設のレストランバーもあり、食事や飲み物を摂りながらゆっくりと過ごすせる。

●Wake Park Cambodia
シェムリアップ MAP 付録P.4 B-4
☎095-882-421 交オールド・マーケットから車で25分 所ICF Campus Rd, Siem Reap 開12:00～20:00(土・日曜9:00～21:00) 料2時間US＄24～ 休月曜

➡初心者でも楽しめるウェイクボード

世界各国の食を体感できるフードコート グリーン・マーケットが誕生

2023年10月オープン

パブ・ストリート近くにあるグリーンマーケットでは、フードコートやショップが並ぶ。セントラルバーでビールなどの飲み物をオーダーし、好きな夕食を選んでみては。週末になるとパブリックビューイングなどのイベントもある。

●Green Market Siem Reap
シェムリアップ MAP 付録P.14 B-3
☎066-265-935 交オール・ドマーケットから徒歩7分
所7-eleven,pubstreet sivutha blvd steung thmey
開16:00～24:00(変動あり) 休無休

⬇大型のフードコートでは世界各国の色々な食事を選ぶことができる

パブストリートから歩いてすぐにある

緑に囲まれたおしゃれカフェ＆ショップ チョコレート・ガーデンに注目

2022年1月オープン

カンボジアで作られた商品を扱うギフトショップ。広い庭では優雅にカフェを楽しめる。カフェは地元のカンボジア人たちのフォトスポットにもなっている。週末になるとエントランスなどで各ブランドの出店もある。

●Chocolate Gardens
シェムリアップ郊外 MAP 付録P.4 C-4
☎077-806-323 交オールド・マーケットから車で15分 所56, Chocolate Road, Siem Reap 営7:00～19:30(金～日曜は～21:00) 休無休

カンボジアメイドの商品が並ぶ

➡週末には小さなマルシェが

カンボジアの伝統工芸品が豊富に揃う フェア・トレード・ヴィレッジ

カンボジア陶器や、伝統織物のクロマー、石彫など地元のアーティストが作るカンボジアの伝統工芸品を豊富に扱う。一点一点が手作りなので、お気に入りの工芸品やおみやげをじっくり選んでみたい。

●Fair Trade Village
シェムリアップ MAP 付録P.11 F-2
☎078-341-404 交オールド・マーケットから車で15分 所Trang Village, Sangkat Slorkram Commune Road 60, Rd 60, Krong Siem Reap 営9:00～19:00 休無休

ていねいに作られた工芸品が並ぶ

➡広々とした工房兼ショップ

TRAVEL PLAN CAMBODIA

至福のカンボジア モデルプラン

とびっきりの
3泊5日

2023年に開業した新しいシェムリアップ・アンコール国際空港に到着

見て、食べて、遊んで。定番から現地のおすすめスポットまで
効率よく網羅する厳選プランでワンランク上のカンボジア旅行を。

旅行には何日必要？

カンボジアを満喫するなら
3泊5日 以上

世界遺産のアンコール遺跡群がメインのカンボジア旅行、拠点はシェムリアップ。見逃せない定番の遺跡は効率よく巡って制覇しつつ、気になる郊外の遺跡へも足を延ばす余裕のある日程を組みたい。

プランの組み立て方

❖ アンコールワットとアンコールトムの日程から
2大遺跡スポットをどの日に組み込むか決めるのがカギ。日の出、夕日は絶景のため観光客も多い。日中の日差しが強い間は、観光客も少ないが体力が必要。

❖ 便利でお得なアンコール・パスは旅行の必携品
ほとんどの遺跡の見学が可能なアンコール・パスはチケットセンターかWebで購入する。遺跡入口のチェックポイントで検札があるのでパスの破損にも注意が必要。

❖ 体力維持と日中の暑さ対策を忘れずに心がけよう
遺跡は屋外にあり暑さ対策が欠かせない。年間を通して蒸し暑く、体力の消耗が激しいので日程には余裕をもって。食事休憩やホテルにいったん帰る決断も必要。

❖ 治安や地雷、食中毒にも気を配って安心旅行を
治安は悪くないが観光客目当ての軽犯罪に警戒が必要。食中毒にも気をつけて。郊外では地雷が残っている場所もあるので、観光ルートから絶対に外れないように。

【移動】日本➡シェムリアップ

DAY 1

到着したらさっそく夜の街に繰り出そう！まずは食事と買い物、バーを巡って街の様子をチェック。

17:00 シェムリアップ到着

空港でタクシーのチケット売り場を利用するかホテルの送迎を利用。

車で50分

18:00 ホテルにチェックイン

ホテルのチェックインを済ませたら部屋に荷物を置き、不必要な貴重品や現金は金庫に入れて身軽に街へ出る準備を。

徒歩15分

18:30 チャンレイ・ツリーでクメール料理 ▶P.78

Dinner

最初の食事はクメール料理に決定。旅行中リピートしたいお気に入りメニューを見つけるのも楽しみ。

⇧古民家の趣を残したおしゃれな店は街の人気No.1

徒歩6分

20:00 パブ・ストリートでドリンク ▶P.92

明日からのカンボジア探検に向けて乾杯。賑やかなパブ・ストリートは旅行客でいっぱい、情報交換も期待できそう。

ネオンの光に包まれ、大勢の観光客が集まる通り。治安も悪くないので安心して過ごそう

【移動】シェムリアップ➡北の郊外➡シェムリアップ

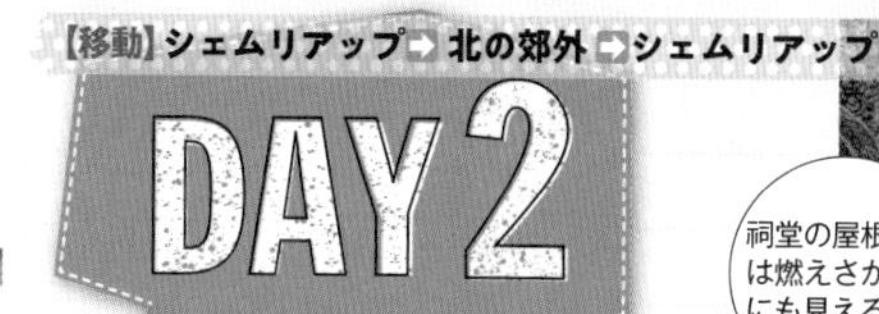

郊外に点在する遺跡は見逃せないスポットばかり。体力のある2日目に丸1日かけて精力的に巡ろう。

7:30 ホテル朝食後出発

郊外に出かける一日、しっかりとホテルの朝食を食べて準備。

車で1時間

8:30 東洋のモナリザに会いに バンテアイ・スレイへ P.66

レンガ色の遺跡はこぢんまりとしていてまわりやすい。ひとつひとつの彫刻に注目して鑑賞しよう。

⬇ここのデヴァターは特に柔和な表情で美しい

車で30分

10:00 クバール・スピアンへ トレッキング P.31

密林を流れる川に残るミステリアスな遺跡見学へ、さらに北上しよう。

車で10分

12:00 ローカル食堂で昼食

ローカル食堂でランチ。カンボジアの麺やマイルドなカレーで腹ごしらえして午後の出発準備。

車で1時間30分

15:00 密林にのみ込まれた ベン・メリアへ P.68

締めくくりは苔むした幻想的な遺跡に心奪われる。

鋭い歯までよく見える保存状態の良いナーガ

車で1時間30分

17:30 ホテル着

ホテルに戻りリフレッシュしたら、ディナーや夜の街の散策に出かけよう。

⬅旅の拠点は清潔なホテルが◎

徒歩15分／トゥクトゥクで5分

18:30 オリーブで P.77 **本格フレンチ・ディナー饗宴**

カンボジアの第2の名物グルメ・フレンチを本格的かつリーズナブルに楽しむ。

温かみのある空間で、落ち着いて食事が楽しめる

徒歩10分

20:30 マッサージでリフレッシュ P.117

パブ・ストリート付近にあるマッサージ店でマッサージを。今日一日の疲れを癒やしてから明日に備えよう。

徒歩10分

21:30 ソッカ・リバー・ラウンジで 一日を締めくくる P.90

一日の終わりはリラックス気分そのままにおしゃれなバー・ラウンジでカクテル。夜風を浴びてのんびりくつろぎたい。

川沿いにあるラウンジは昼間も雰囲気がよい

【移動】シェムリアップ市内

DAY 3

いよいよ旅のメイン・イベント、アンコール遺跡へ。思った以上に体力を消耗するので休みながら。

7:30 ホテル朝食後は早めに出発

⬅アンコール遺跡をまわる日は早起き。ホテルで朝食を食べたら早速出かけよう

車で30分／トゥクトゥクで40分

8:30 巨大な城塞都市アンコールトムへ出発 ▶P.52

アンコール朝最盛期の栄華を感じるアンコールトムは広大。見どころも多く歩く距離が長いので上手にペース配分を。

アンコール遺跡群では、制服制限あり！必ず肩と膝が隠れる服装で訪れて。

車で10分／トゥクトゥクで15分

10:00 自然の神秘を目の当たりにするタ・プローム遺跡 ▶P.26

巨大な樹木の根が遺跡に覆いかぶさるように生長し続けているタ・プロームで自然の迫力を体感する。

⬆樹齢300～400年

徒歩30分／トゥクトゥクで5分

12:00 クトム・スレ・クメール・フードでランチ ▶P.27

遺跡付近に数ある食堂のなかでも評判の良いこのレストランでランチ休憩。

⬅素朴な民家風の建物

⬅緑の見えるリラックスできる空間

車で10分／トゥクトゥクで15分

13:30

ハイライトはなんといっても アンコールワット

P.36

いよいよ世界遺産アンコールワット訪問。疲れも吹き飛ぶほどの絶景はこの旅いちばんのハイライトになるはず。

国旗にも描かれている寺院が目の前に！

↑見どころの多い回廊へ

→手前の経蔵にも見どころあり！

車で15分／トゥクトゥクで20分

16:00

ホテルで休憩

ホテルにいったん戻りシャワーで汗を流したり着替えたりしてリフレッシュ。

徒歩5分

17:00

カンダール・ヴィレッジ おしゃれショップ巡り

P.102

現在進行形で旬のものを扱うショップが立ち並ぶエリアで流行チェックしよう。

↓旅行中に使いたくなるような小物も

←外国人オーナーのお店が多い

→独特の雰囲気をもつ置物

→女子心をくすぐるアクセサリー

車で7分／トゥクトゥクで10分

18:00

マホープ・クメール・クイジーンでクメール料理ディナー

P.79

隠れ家風のレストランでクメール料理のディナーを堪能したい。おいしい料理を抜群の雰囲気で楽しむ。

カンポット産の胡椒が合う牛肉料理を堪能

徒歩15分

21:00

ホテルのバーで ゆったりと優雅なひととき

P.90

明日の日の出観賞のために夜は宿泊ホテルのバーで過ごせば帰りの心配も不要。

落ち着いた雰囲気のなか本格カクテルで乾杯

好みのままに。アレンジプラン

シェムリアップ郊外には魅力的な遺跡や観光で訪れたいスポットが多く点在している。

優美な彫刻に魅せられる

タイムトラベル気分で 1200年前の王都ロリュオスへ

P.64

かつての王都ロリュオスには1200年前の彫刻が鮮やかに残り、時の流れを感じさせない。

→まるで彫ったばかりのような彫刻があちこちに見られる

テレビでも紹介された天空寺院

プレア・ヴィヒアから カンボジアの大地を一望

P.69

タイとの国境に近い断崖絶壁に立つ「天空の寺院」は山脈の頂にある絶景ポイントの遺跡。

→目の前に広がる緑の大地と青空に吸い込まれそうな絶景

発展めざましい首都を訪問

プノンペンまで足を延ばして 1泊するのもあり

P.138

首都プノンペンは開発ラッシュ。カンボジアの先端を行くアートシーンやレストランもチェック。

→観光客も地元の人も集まるリバーサイドは憩いの場所

【移動】シェムリアップ市内

DAY4

最終日は日の出の絶景で締めくくり、ショッピングもグルメもスイーツもギリギリまで満喫しよう。

6:00 アンコールワットの日の出からパワーチャージ ▶P.20

最後の日はめいっぱい楽しむためにも夜明け前に早起きして日の出観賞に出かけよう。感動的な太陽に元気をもらったら最後の街歩きの準備は万端。

暁に浮かび上がるアンコールワットのシルエットは感動的な旅の思い出

車で18分／トゥクトゥクで25分

9:00 ホテルに戻ったらひと休み出発の準備も

ホテル内のスパで休憩するのも一案。朝食は近所の食堂にも挑戦してみたい。

➡気になるローカル食堂で地元の人と一緒にお米の麺を食べるのも楽しいかも！

徒歩15分／トゥクトゥクで5分

ホテルのスパで過ごす贅沢な休憩は自分へのご褒美にぴったり

12:00 パレート・アンコール・レストラン&バーでクメール料理に満足 ▶P.79

リバーサイドのホテルレストランでカジュアルにクメール料理のランチを楽しむ。

➡日本人にも親しみやすい味付け

ホテル内のレストランらしく居心地よい

徒歩8分

13:30 オールド・マーケットでショッピング ▶P.98

プチプラ雑貨やばらまき用のおみやげを探しに刺激的な市場へ潜入しよう。

⬆センスの良い小物やユニークな雑貨もあり楽しい

狭い通路にお店がぎっしり並ぶ

徒歩5分

15:00 地元のおしゃれカフェ ▶P.87 テンプル・コーヒーで休憩

空港まで少し距離があるので、その前におやつタイム。リバーサイドのおしゃれなカフェで決まり！

スイーツとコーヒーでくつろごう

⬆ゆったり過ごせるソファ席がおすすめ

車で50分

17:00 空港へ

【移動】シェムリアップ➡経由地➡日本

DAY5

空港には出発の2時間前までに到着し、搭乗手続きを。仏像の持出しなどを防ぐため、手荷物のX線検査は厳しい。

BEST 5 THINGS TO DO IN ANGKOR

アンコール遺跡で ぜったいしたい 5のコト

Contents

刻々と移り変わる空の色を見ながら始まる一日

01 アンコール遺跡で感動的な朝日に出会う

夜明けとともに遺跡の影が浮かび上がる
古の王たちも眺めたであろう朝焼けは、
心揺さぶる思い出の1シーンになる。

Angkor

水面に遺跡が映り込むアンコールワットの北聖池前

神秘の森に足を踏み入れる

深い森に埋もれたアンコールワット。神秘のベールに包まれたカンボジアの遺跡に足を踏み入れたとたん、はるか昔の王たちに思いを馳せずにはいられない。血統による王位継承ではなく、戦いに勝ったものが力で王位についたこの国で、街は絶え間ない争いと栄枯盛衰を繰り返してきた。アンコールワットをはじめとする巨大な遺跡群は、歴代の王が権力を見せつけるために次々と築き上げてきたもの。ここで執り行われる秘密の儀式で、王たちは神々と交信しそのパワーを手に入れていたという。

ここは人間と神々の対話の場、とてつもないエネルギーに満ちている。ミステリアスな巨大彫刻、壁から天井にかけて無数に彫り刻まれた神々の姿や人々の暮らし。人界と神の世界、日常生活と神話が隣り合わせの混沌とした迷宮で軽くめまいを覚える。石造りの迷宮でそんな錯覚に襲われたのは、熱帯の暑さのせいか、はたまた今なおそこに棲みつく精霊たちの気配のせいか。

過去の栄華ととこしえの宇宙が共存

世界中の考古学者が憧れるカンボジアの遺跡。今、目の前にあるアンコールワットは巨大な古代都市のほんの一部、一寺院にすぎないからだ。樹々に埋もれたこの大都市が目撃してきた悠久の歴史の謎はいまだ解き明かされていない。神がかり的パワーを持つ王が栄華を手にした同じ場所で、静かに祈りを捧げる僧侶たちの姿。俗世間から解放され、そっと目を閉じたたずむ無数の仏像。さまざまな姿で私たちを見つめるヒンドゥ教の神々。観光客の喧騒のなかでふいに訪れる一人だけの瞬間に、時空を超えた永久の力がそこにあると信じたくなる。

アンコールワットでは早起きをしてサンライズを見に行こう。星空と月明かりだけの暗闇が白々と明けると、浮かび上がる遺跡のシルエット。見たこともない絶景が目の前に広がる、新しい一日の始まりだ。生まれたての朝日を浴びてパワーチャージしたら気分も上々。お気に入りのレリーフを探しに探検家の気分で出かけよう。

Sunrise

アンコールの神々しい光に包まれたい
夜明けとともに歩き出す奇跡の一瞬に、見惚れる

白みはじめた空にアンコール遺跡群のシルエットが浮かび上がる。遺跡が黄金の光に包まれていくドラマに感動を覚える。

春分と秋分前後にはこの光景が

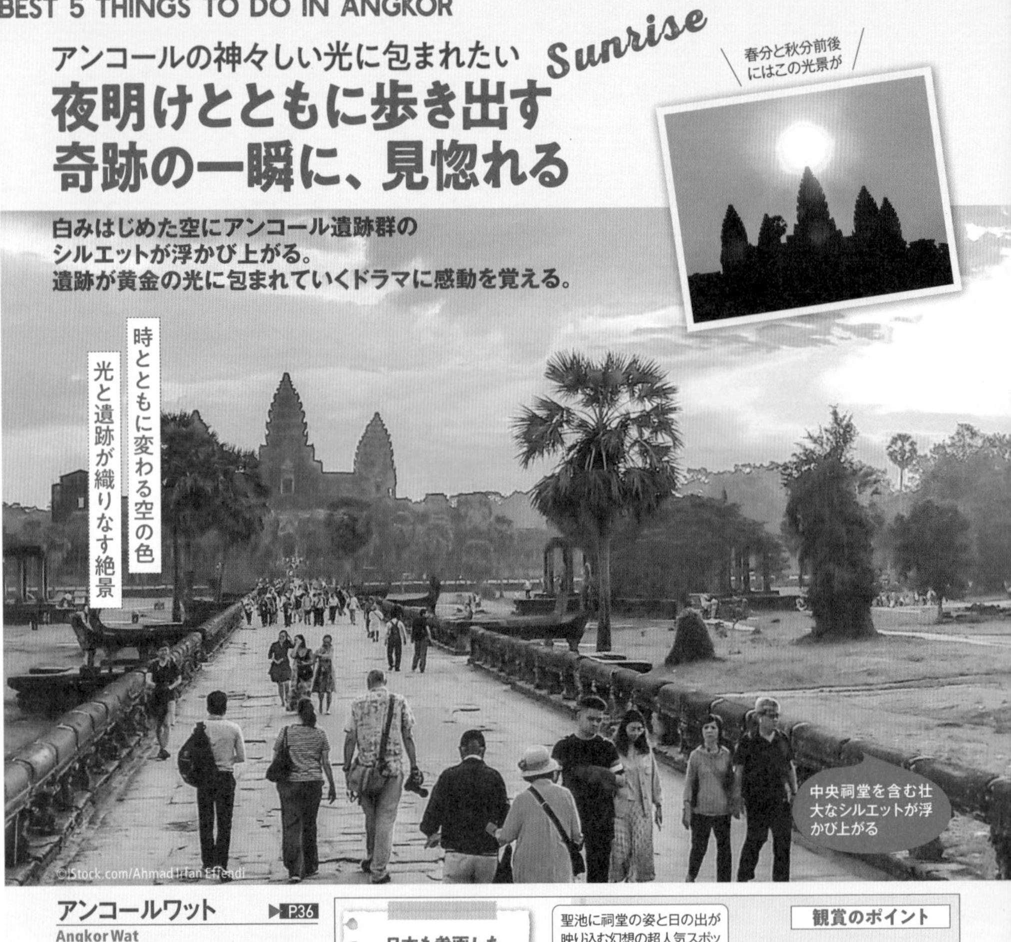

アンコールワット

▶P.36

Angkor Wat

MAP 付録P.6 B-4

季節的には雲の少ない11月から4月の乾季がおすすめ。当日の日の出時間を事前に調べて、日が昇る30分くらい前には観賞ポイントに到着しておきたい。アンコールワット遺跡群への入場券が買えるチケット売り場は朝5時から営業。ただし行列が予想されるので、効率よく目当ての場所で朝日観賞をするのなら、前日までにチケットを購入しておいたほうがスムーズ。オンラインでも購入可。春分の日、秋分の日前後は、中央祠堂の真上に昇る朝日が見られる。雨季(5～10月)は雲が多く、朝日が見られないことがほとんどなので、事前に天気をチェックしておこう。

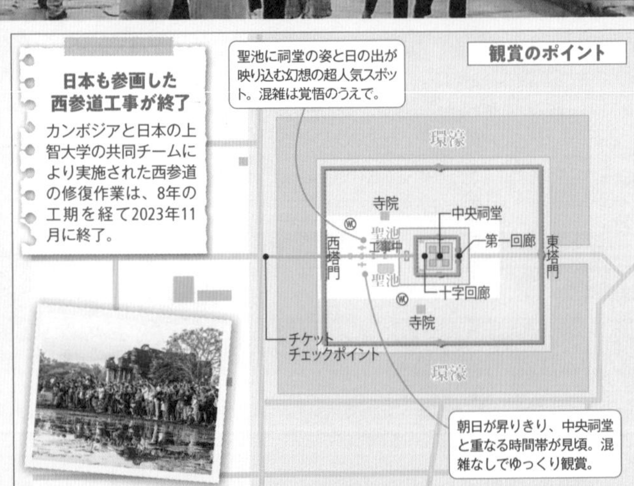

日本も参画した西参道工事が終了

カンボジアと日本の上智大学の共同チームにより実施された西参道の修復作業は、8年の工期を経て2023年11月に終了。

プノン・バケンから見えるアンコールワット

山頂は360度のパノラマ展望ポイント。市街地のほかに、ジャングルに埋もれたかのようなアンコールワットの姿は約1㎞先の南東側に見える。

プノン・バケン

▶P.29

Phnom Bakheng

アンコールトム周辺 MAP 付録P.6 A-3

どちらかといえば夕日観賞で有名なスポット。寺院のある山頂は狭く入場が300人に制限されているので、混雑する夕方よりご来光観賞のほうがハードルが低いかも。ただし夜明け前の暗い山道を登るため信頼できるガイドを利用したい。懐中電灯と急な天候の変化に備えレインコートがあると便利。

上空から遺跡を眺める

アンコール・バルーン

Angkor Balloon

MAP 付録P.6 A-4

混雑を逃れ、気球に乗って朝日に輝くアンコール遺跡群を上空から体験することも。眼下に広がる緑深いカンボジアの大地から昇る朝日と幻想的な遺跡群を十分に堪能できる10分間だ。

☎092-765-386 交オールド・マーケットから車で25分 営季節により異なる 休無休 料US$20、朝日・夕日の時間はUS$25
HP www.angkorballoon.com

↑約100m上空まで浮かび上がる

スラ・スラン

Srah Srang

アンコールトム周辺 MAP 付録P.7 E-3

バンテアイ・クデイ(P.61)の東に位置する巨大な人工池。西側にある砂岩テラスから、広い水面に映り込む幻想的な朝日を堪能できる穴場的なスポット。テラスには東を向いたシンハ(ライオン)の像もある。乾季には池の水が干上がることもあるので、事前に確認しよう。

象は水浴びが禁じられていた「王の沐浴池」

水が干上がると、中央に祠堂跡の土台が現れる。スラ・スランは王族の沐浴池の意味。残された碑文には「象の水浴びを禁ず」と記されている。

地元住民も憩う美しい池のほとりでリラックス

交バイヨンから車で10分 開5:00～18:30(最終入場18:00) 休無休 料共通券の利用

創建 1186年 信仰 仏教
創建者 ジャヤヴァルマン7世
※池は10世紀中頃に建造された

表情も服装も異なるのに背の高さだけが統一され不思議な一体感を見せるデヴァター

Devata

今にも動き出しそうな迫力ある女神の彫刻

02 華麗に彫り込まれたデヴァターを探しに

無数に彫られたデヴァターはアンコール遺跡の見どころのひとつ。それぞれ一体一体が異なる姿はいつまでも見飽きない。

不思議な存在感の女性たち

遺跡のあちらこちらで遭遇する女神の像デヴァター。建物の入口に立ち、ときには回廊の柱で、ときには数人でひそひそ話をしながらそっとこちらをうかがっているようだ。ヒンドゥ教の女神を意味するデヴァター、ここでは神でありながらも実在の女性がモデルであるとか踊り子や女官であるという説もある。王に仕えていた女性というよりは守り神の風格さえ感じさせる、謎めく存在だ。

1000年の時を超えた美人

クメール美人の典型なのだろうか。スリムで豊満な女性の全身像は、薄衣を身にまといさまざまな装飾品で着飾っている。肉厚の唇に控えめな笑みを浮かべた伏し目がちのデヴァターが多いなか、細い目を見開いていたり歯を見せて笑っていたりと、クメール文化に潜む奔放な一面を垣間見る気がする。奥ゆかしさのなかに意外な一面を見せるデヴァターに人々は魅了されずにはいられない。

躍動感あふれるポーズが気になる

片手を挙げたポーズだけでなく、冠をいじったり隣の人の服や肩に触れたり腕を組む姿がいきいきとしている。

流行のファッションが見える?

冠の有無や個性的な髪形、豪華な耳飾りや首飾りの形、服装からその時代の流行や王朝の豊かさが見てとれる。

自由奔放な表情でなんだか楽しそう

実際にモデルがいたとされるが、王宮に仕えていたとするとかなり自由だったことをうかがわせる楽しい表情だ。

それぞれ自由なポーズで個性をアピールしてます

アンコールワット

Angkor Wat

MAP 付録P.6 B-4 ▶P.36

第二回廊から十字回廊にかけてがデヴァターの宝庫。壁のデヴァターが、一体一体ずらりと並んで見える角度も。

バンテアイ・スレイ

▶P.66

Banteay Srei

MAP 付録P.2 B-2

ローズ色のデヴァターは周囲の繊細な装飾レリーフとともに保存状態も良く、女神のための寺院ではないかと思えるほど。

盗掘の憂き目にあった東洋のモナリザ

プリア・カン

Preah Khan

MAP 付録P.6 C-1 ▶P.60

遺跡の倒壊は激しいものの、連子窓とともに壁に彫られたデヴァターが数体残っている。

バンテアイ・クデイ

Banteay Kdei

MAP 付録P.7 E-3 ▶P.61

豊満なお母さん風や現代美人風など、個性的なデヴァターが多いことで知られる。

プノン・バケン

Phnom Bakheng

MAP 付録P.6 A-3 ▶P.29

中央祠堂の壁面に残る美しいデヴァターが有名。頭上にアプサラが舞っている。

アプサラ・ダンス

クメールの伝統舞踊アプサラ・ダンスは7世紀頃に生まれたとされる。神々と王を魅了した宮廷舞踊。

クメール文化の最高峰 美しい天女が舞い踊る

アプサラはヒンドゥ教に登場する伝説の天女。乳海攪拌で誕生し天国に暮らす絶世の美女たちは、神に踊りなどを献上して楽しませていたと同時に、天上の神と地上の王をつなぐ平和のメッセンジャーであったという。自らを神と一体化していたアンコール王朝の王たちは無数のデヴァターを彫り、その姿を追い求めていたのかもしれない。

◀スタイルはデヴァターがモデル

生命の営みを花に例えたしなやかな踊り子の手指

アプサラ・ダンスの神髄はそのしなやかに反りかえる手指だ。優雅なダンスに、ストレッチと練習を重ねた踊り子たちの手の動きがさまざまな意味を持ち、物語を雄弁に語る。3つの塔と2列の丸い飾り(主役は本来5塔)の冠や肩まで届く長い房状の耳飾り、数種類の腕輪、赤い襟が特徴の衣装は、アンコールワットのデヴァターがモデルだ。

ここで見られます

アマゾン・アンコール

Amazon Angkor

MAP 付録P.8 B-1

舞台が大きく踊り子や歌い手の数も多い見応えのある大型レストラン。ブッフェの食事もおいしいと評判。

☎012-966988 営18:30～21:00(ショー19:30～) 休無休 料US$14

目の前に広がる摩訶不思議な光景

03 樹木の力強い生命力! タ・プローム遺跡

財宝を抱えたまま眠りについた遺跡を
脈々と生長するガジュマルが覆う。
崩壊の過程を維持し続ける危ういバランスに、心揺さぶられる。

王が亡き母に捧げた寺院は生と死が隣り合わせの場所

カジュマルの樹が遺跡を覆い尽くし現在も侵食中の遺跡。タ・プロームとは「梵天の老人」を意味する。映画『トゥームレイダー』の舞台となったことでも知られ、アンジェリーナ・ジョリー演じる主人公がジャスミンの花を手にしたシーンはここで撮影された。この遺跡内に眠るとされる財宝めあてに、繰り返し盗掘の憂き目に遭った歴史もある。

過去の栄華を封じ込めるように這い伸びる木の根の下、じっと息をひそめる遺跡。生と死、現実と幻想が隣り合う不思議な感覚はここでなければ体験できない。

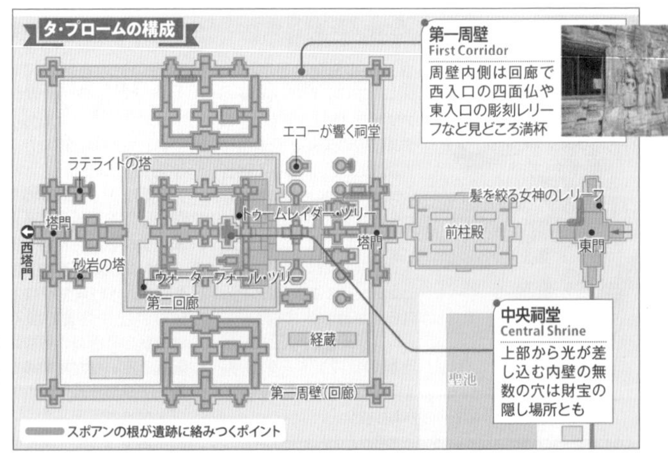

髪の長い女の子伝説は東門の北東側レリーフ

女の子が長い髪で池の水を吸い上げて、瞑想するお釈迦様の周囲に運び入れ、邪魔しにきた阿修羅が入れないようにしたという伝説のレリーフがある。

タ・プローム

所要1時間

Ta Prohm

アンコールトム周辺 MAP 付録P.7 D-3

交 バイヨンから車で8分 開 7:30～18:30頃
休 無休 料 共通券利用

創建 1186年　信仰 仏教
創建者 ジャヤヴァルマン7世

←連子窓は実は偽窓。両脇にはデヴァターがたたずむ

→恐竜に見えると噂の謎のレリーフは西側入口の塔門

↑数多い遺跡のなかで最も崩壊が進んでいる遺跡といわれている

↑一日中観光客が多い人気の遺跡。倒壊したまま放置された石群にこの世の無常を感じる

立ち寄りグルメスポット

遺跡近くで絶品チキンを

クトム・スレ・クメール・フード

Ktom Sre Khmer Food

MAP 付録P.7 E-3

スラ・スラン近くという好立地で、村の人々によって運営されている。特に人気のメニューは鶏の丸焼きで、やわらかくジューシーな味わい。

☎078-334-496 交 オールド・マーケットから車で40分　所 Srah Srang,Tboung village 営 9:00～18:00 休 無休

↑リラックスしたひとときを過ごすのにぴったり

静かに暮れゆく夕日を歴史を刻む遺跡と観賞

04 壮大なサンセットで素敵な一日の締めくくり

遺跡越しの美しい夕日の写真が撮れると人気！

歩き疲れた一日を締めくくる感動の夕日と闇に包まれゆく遺跡のシルエットが幻想的だ。眠りにつく直前、遺跡の息づかいを感じたい。

Sunset

小高いプノン・バケンはアンコール三大聖山のひとつ

1日の入場制限に注意 暗くなる前に下山して

プノン・バケンは一度に300人まで、18時が最終入場なのでサンセットの数時間前に到着している必要がある。往復は山道を30分歩き、階段なので日が暮れると足元が見えず危険。グループ内に12歳以下の子どもがいる場合や、肩や膝が露出した服装では入場できない。

プノン・バケン

Phnom Bakheng

アンコールトム周辺 MAP 付録P.6 A-3

サンセットといえばここ。山頂まで登り数時間前から待機して大混雑のなかでの観賞となる。それでも夕日の時刻になれば人気の理由に納得の絶景が目の前に広がる。

交 シェムリアップ中心部から車で1時間30分 開 5:00〜18:30(最終入場18:00) 休 無休 料 共通券の利用

創建 9世紀末　信仰 ヒンドゥ教
創建者 ヤショヴァルマン1世

プレ・ループ

▶P.63

Pre Rup

アンコールトム周辺 MAP 付録P.7 F-3

中央祠堂から見渡す限りのジャングルに沈むダイナミックな夕日が見られる人気のスポット。街なかから離れた場所にあるので往復の交通手段には十分注意が必要。

ピラミッド型の遺跡の後方に夕日が沈む

途端に暗くなる日没後 街へ帰る夜道対策を

日が暮れるとあっという間にあたりは真っ暗になるので信用できるドライバーで交通手段を確保しよう。特に郊外の遺跡からの道は人けが少ない。

アンコールワット

▶P.36

Angkor Wat

MAP 付録P.6 B-4

遺跡越しに日の出が拝めるアンコールワットは通常の入口である西塔門側からでなく、サンセットは東から入場して見学。薄暮に包まれ長い影のできる回廊やレリーフも昼間とは違う表情を見せる。

コンキア・アンコール

Kongkear Angkor

アンコールトム周辺 MAP 付録P.6 A-3

アンコールトムのお濠をガイド付きのゴンドラボートで巡るツアーのサンセット版。歩きまわる必要もなく、ゆったりとボートに乗ったままでプライベート感あふれるサンセットの眺めが楽しめる。

☎092-334-347 営7:00〜17:50 休 無休 料 US$17〜 HP kongkearangkor.com

↑水上から楽しむ夕日の絶景は最高の贅沢

王朝の幕開きを目撃した
パワー満ちあふれる秘境

05 アンコール王朝発祥の地 聖なるプノン・クーレン

シェムリアップから車で1時間30分

アンコール王朝繁栄のもとである水が豊富に湧き出る水源。それはまさに古代から脈々と続くパワースポット。

落差約20mの大滝は季節によって水量や透明度が異なる

神と一体化し神秘の力を手にした王が聖なる水に魔力を与えた地

アンコール王朝の初代王ジャヤヴァルマン2世は802年にこの山で神と一体化する儀式を行った——アンコール王朝の幕開きだ。ここでは川底にヴィシュヌ神とブラフマー神が刻まれ、近くの川底に1000本のリンガとヨニがびっしりと彫られている。崇拝の対象である神と魔力を持ったリンガを川底に沈めた真意は何か。清められた水がアンコールの大地に流れ込むようにと王が願っていたのかもしれない。やがて数世紀ののちアンコール王朝は、農業に不向きとされた熱帯の乾燥地域において農業生産力をめざましく向上させる。国は大いに繁栄、それを支えたのはほかでもないこのプノン・クーレンから流れ込む水であった。この清らかな水が豊富に湧き出る小高い山がすべての始まり——滝の音を聞きながらそんなことを想うとあたり一帯に漂う底知れぬパワーを感じずにはいられない。

プノン・クーレン

Phnom Kulen

郊外 MAP 付録P.2 B-2

交 シェムリアップ中心部から車で1時間30分 開 7:00～15:00 休 無休 料 US$20(共通券の利用不可)

創建 9世紀 信仰 ヒンドゥ教
創建者 ジャヤヴァルマン2世

古いタイプの背の低いリンガがびっしりと刻まれている川底

観光アドバイス

地雷に注意
現地までの道中や一般的な観光コース、登山道は整備されているが、一部地雷の除去が終わっていない箇所もあるので、脇道にそれたり自分の判断で歩きまわったりしないように気をつけたい。入山料は外国人料金になる。

寺院もある
霊峰でもあるプノン・クーレンにはレンガ造りの寺院やさまざまな遺跡が山中に点在し緑に覆われているものも多い。ここにある寺院は前アンコールからアンコールへの過渡期に造られたものとして歴史的に意義深い。

「ライチの山」の意味のプノン・クーレンは現在国立公園に

アンコール三聖山

プノン・バケン、プノン・ボック、プノン・クロムがアンコール三聖山。プノン=山だがどれも小高い丘で上に寺院が建てられた。いずれも見晴らしが良いことで知られる。

プレアアントン寺院の輝く17mの巨大仏像は16世紀のもの

併せて訪れたい

古代から重視されてきた山と海を結ぶ起点と聖地

クバール・スピアン

Kbal Spean

郊外 MAP付録P.2 B-2

「川の源流」という意味がある密林の中の聖地。見どころは約200mにわたって川底や川岸に彫られた神々と水の流れの組み合わせ。水に濡れそぼつ神々が神秘的。

交シェムリアップ中心部から駐車場まで車で1時間15分、駐車場から徒歩40分 開7:30〜17:30 休無休 料共通券の利用

↓ゴール地点の滝。リンガを流れた聖水に手足をひたしてみよう

見晴らしが良く最近まで軍事拠点でもあった聖山

プノン・クロム

Phnom Krom

郊外 MAP付録P.2 B-2

アンコール三聖山のひとつでトンレサップ湖畔から約140mほどの小山。湖を遡ってくる水軍を監視した。大量の降雨後にはあたり一帯が水没し、神秘的な絶景になる。

交シェムリアップ中心部から車で30分 開7:30〜19:30 休無休 料共通券の利用

↓三神一体の世界観を表すヒンドゥの三大神が祀られる祠堂

© istock.com/R.M. Nunes

ヒンドゥの三大神

創造、維持、破壊の三大神は万物繰り返しの象徴。同一の神の3つの様相を示すとされることもある。

シヴァ Siva

強大な力を持つ破壊神で、歴代の王たちに最も崇拝された。終わりの近づいた世界を破壊し新たな秩序を創造するとされ、リンガ(男根彫刻)の形で表現される。

ヴィシュヌ Vishnu

維持神や正義を司り、聖鳥ガルーダに乗って世界の危機から人々を救済する。さまざまな姿(アヴァターラ)に変化し、ヒンドゥ教ではブッダもこの神の化身とされる。

ブラフマー Brahma

東西南北を見る4つの顔と多くの腕を持つ創造神。3神の筆頭ともされるがやや影が薄く、カンボジアでもあまり人気がなかった。日本では梵天として知られる。

クメール史に欠かせない2王

約600年の歴史で、たびたび王位は力で奪取された。壮大な建築群は権威を示すためのものでもあった。

スールヤヴァルマン2世 Suryavarman II

壮絶な王位争いに勝ち壮大な寺院アンコールワットを建立した王。近隣国への遠征を繰り返し領土を広げるなど、外交外征に積極的だったが国内は疲弊した。

ジャヤヴァルマン7世 Jayavarman VII

王朝後期の王でクメール王国の最盛期を築いた英雄。今なおカンボジアでは人気が高い。戦乱で荒廃した国の復興に努めた慈悲深い王としても知られる。

リンガとヨニ

シヴァ神の象徴リンガ(男根の彫刻)は円柱形で四角い台座のようなヨニ(女性器の象徴)の上に置かれている。壮大なパワーを宿すと信じられ、聖水を注ぎ神との儀式に王が使用した。

←さまざまな形のリンガが各所の遺跡で見られる

ANGKOR SPREADING IN THE JUNGLE

アンコール遺跡群

定番スポットから秘境まで！

Contents

事前に知っておきたい! アンコール遺跡のまわり方

アンコール遺跡は広大だ。そのうえ熱帯の高温が容赦なく体力を奪うので、見たい遺跡を中心に効率よくまわるのがカギ。入場券の買い方、歩き方、交通手段など事前に予習しよう。

基本情報

チケットを買う

遺跡巡りには「アンコール・パス」と呼ばれる入場券が欠かせない。このチケットでほとんどの遺跡の見学が可能だ(一部遠方の遺跡は別料金)。入場券は遺跡入口ではなく街の中心から東に5kmほど離れたチケットセンターで購入する必要がある。オンラインでも購入可能。遺跡入口のチェックポイントで検札があり、不携帯の場合は高額の罰金が科せられるので注意。

【チケット購入サイト】
ticket.angkorenterprise.gov.kh

1日券 US$37
購入日のみ有効

3日券 US$62
購入から10日以内で任意の3日間使用可

7日券 US$72
購入から1カ月以内で任意の7日間使用可

※11歳以下とガイド、カンボジア人は無料
※入場できない遺跡は別途チケット購入

チケットセンター MAP 付録P.5 D-3
営5:00〜17:30
休無休

入場時間

アンコール遺跡の見学時間は、各遺跡ごとに多少異なるが6:00頃〜19:00頃。クローズの30分前に入場は締め切られる。

交通手段

遺跡への往復や周辺巡りは徒歩では無理。予算とスケジュール、旅のスタイルに合わせて交通手段を決めよう。

車チャーター ……Car Charter

ホテルや旅行会社に手配を依頼。エアコン付きで抜群の快適さ、移動中に体力の回復も。

トゥクトゥク ……Tuk tuk

小回りが利いてゆったりとした旅情を楽しむのにぴったり。正規ドライバーを選んで。

Eバイク ……Electric Bike

環境にやさしい電気バイク。町なかで借りられる。充電スポットが少ないので注意。

レンタサイクル ……Bicycle rental

マイペースにのんびりと移動できる。欧米人に人気の電動自転車なら、さらに移動が楽。

見学前の注意点

今なお発掘調査が続く遺跡、事前に通知が出て見学や立ち入りを規制する場所も多い。最新情報を集めて旅のプランニングを。

服装

ほぼすべての遺跡で膝の出る服(ショートパンツなど)と肩を露出する服では入場できない。アンコール・パス購入の際にも服装チェックがされるので注意。日差し対策の帽子やサングラス、薄手の長袖が便利。靴は悪路で汚れてもOKな履き慣れたものを。

持ち物

日焼け止め、虫よけ、フェイスタオル、ティッシュ、雨具、アンコール・パスを入れるビニールケースも便利。よじ登る箇所もあるので、両手の空くカバン(ななめ掛けショルダーやバックパック)がおすすめ。

飲食

遺跡の入口付近には売店があり、飲み物などが買える。食堂なども増えているが、観光地価格なのは理解しよう。

トイレ

主な遺跡には水洗トイレがある。アンコール・パスを持っていれば無料、なければ2000R(50セント)を支払う。

地雷について

特に郊外には、地雷未処理の場所や除去したばかりの場所がある。整備された道路以外は絶対に立ち入らないようにしよう。

プランニングのコツ

シーズン

乾季（11～5月）が観光に適しているが、3月からは猛烈に蒸し暑い日が多くなる。本格的な雨季（9～10月）は大雨が降り、晴れても雨後は足元が遺跡巡りに不向きになるので注意しよう。

時間帯

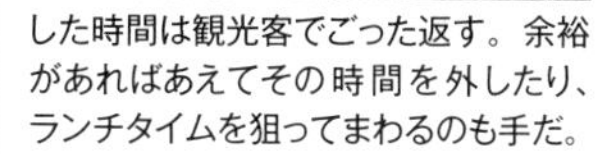

日の出やサンセット、写真撮影に適した時間は観光客でごった返す。余裕があればあえてその時間を外したり、ランチタイムを狙ってまわるのも手だ。

ガイド&ツアー

すべておまかせで効率よくまわるならガイドの手配がおすすめ。ただし日本語ガイドは事前に予約したほうがよい。また現地のツアーに参加するのも。

遺跡見学のマナー

アンコール遺跡群は宗教施設、今も大切な信仰の場所となっていることを心して訪れよう。

- 静かに見学し、騒いだり大声を出さない
- 柱や壁に不用意にさわったり、寄りかかる行為、欄干に腰掛けることは控える
- 遺跡内はすべて飲食禁止、禁煙（持参の水を飲む程度なら可）
- 露出度の高い服装は禁止（透けている素材もNG）
- 暑くても途中で脱いだりしない
- 崩落の危険や神域である可能性もあるので立ち入り禁止の看板を遵守

各所に点在する遺跡をやみくもに巡るのは大変だ。フランスが開発した下記ルートを参考に。

小回りルート

所要4～5時間 アンコール初期から王朝の最盛期までを時代の流れに沿って巡るコース。アンコールワットとバイヨンの2大遺跡を半日、残りの半日でそのほかの遺跡をまわる。

大回りルート

所要5～6時間 王朝創世期10世紀の寺院とジャヤヴァルマン7世が建立した仏教寺院をはじめ、小・中規模の遺跡5つを目指すコース。小回りルートすべてはカバーしていないので注意しよう。

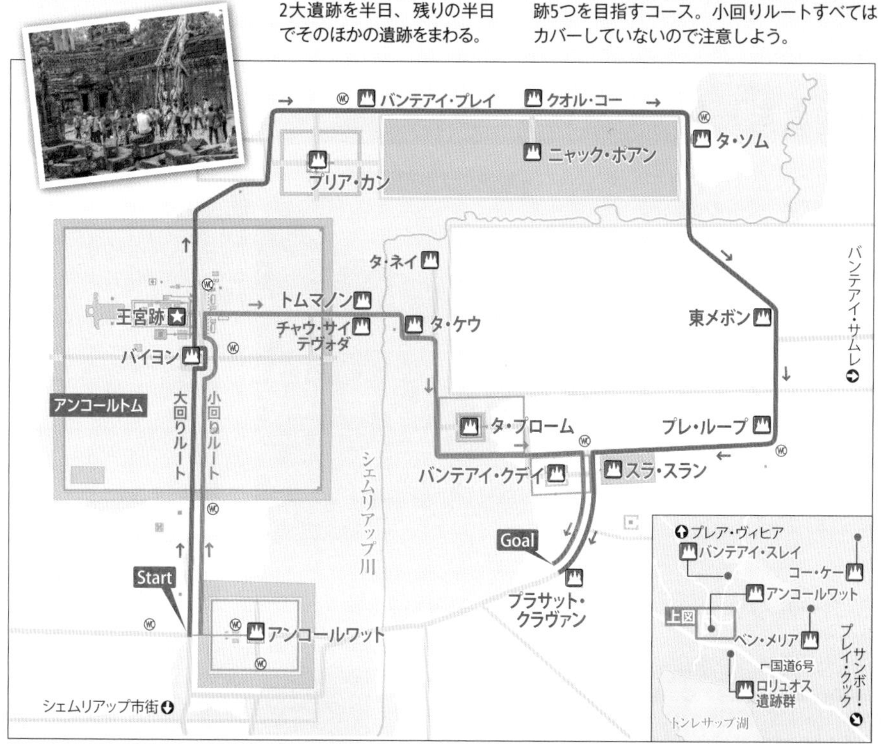

天空にそびえる楽園でクメールの魂にふれる

密林に広がる巨大都市遺跡 アンコールワット

9世紀から600年にわたり栄えたアンコール王朝の栄華を今に伝える巨大寺院・アンコールワット。1860年に再発見され、カンボジアの象徴として世界を魅了する東南アジア最大の石造伽藍だ。

密林の中の神聖な小宇宙 クメール建築・美術の最高峰

アンコールワットはその規模と完成度の高さで、世界遺産のアンコール遺跡群の代表的存在だ。アンコール王朝の中期、12世紀前半にスールヤヴァルマン2世が自らを神格化し、その力を世に知らしめるために、30年の歳月をかけて建設したといわれる。ヴィシュヌ神を祀るヒンドゥ寺院でありながら、王の墓でもあるため、アンコールワットは西側が正面。中央祠堂は古代インドのヒンドゥ神話で神々が降臨する須弥山を、回廊はヒマラヤの山々を、環濠は大海を表し、ヒンドゥ神話の宇宙観を具現化している。

第一回廊

反時計回りでストーリーが展開する絵巻物のようなレリーフが特徴。

▶P.40

十字回廊

第一回廊と第二回廊の間にある十字形回廊。1632年に訪問した日本人の落書きが残る。

▶P.45

十字テラス

参道の端と第一回廊を結んだ十字形の大きなテラス。シンハ像やナーガの欄干にも注目してみよう。

アンコールワット

Angkor Wat

MAP 付録P.6 B-4

交 シェムリアップ市街中心部から車で30分 開 5:00〜18:30(最終入場18:00) 休 無休 料 共通券の利用

創建 12世紀初頭　信仰 ヒンドゥ教

創建者 スールヤヴァルマン2世

参道から左右に少しずれると尖塔が5基見えるアングルになる

神の視点と称される、空から見たアンコールワット

大海を意味する大きな環濠に架かる長い西参道を渡りアクセス

information

● プランニング　遺跡入口付近ではチケットが買えないので、事前にオンラインかチケットセンターでアンコール・パスと呼ばれる入場券の購入が必要。主な遺跡には水洗トイレがある。服装チェックと日差しや虫対策の服装を心がけて準備、特に気温や日差し、人混みによる体力消耗は予想以上と心してスケジュールを立てよう。

● セグウェイに乗ってみよう
初めてでも数分で感覚がつかめる電動立ち乗り二輪車セグウェイで遺跡を目指すユニークな体験ができるツアーがある。日本語で指導してくれるので安心だ。

● エレファントライドは現在行われていない
アンコール遺跡周辺で行われていた象乗りは象の保護のため2019年に廃止。象たちは現在は野生に近い環境で暮らしているそう。

● より深く楽しむために　説明を聞きながら見どころを効率よくしっかりまわるならガイドや現地ツアーだ。ガイドは政府の免許が必要でクリーム色の制服を着ている。

中央祠堂

かつては内部にヴィシュヌ神が祀られていた高さ65mの尖塔。世界の中心とされ、4つの尖塔に囲まれている。

P.47

第一回廊
中央祠堂
第三回廊
第二回廊
十字回廊
字テラス

第二回廊

一周約430mの回廊。内部には装飾がほとんどないが外壁にはすべて異なる2000体以上のデヴァターであふれ返っている。

P.46

第三回廊

天上界を意味しいちばん高い場所にある回廊。中心にある中央祠堂には、王朝時代は限られた人しか立ち入りが許されなかった。

P.47

クメール建築の最高傑作が目前に
大海を表す環濠の先に 壮大なクメールの世界が現る

東西約1.5km、南北約1.3kmの壮大な敷地に広がるアンコールワット。海を表す環濠を越え、参道は王と神が宿る中央祠堂に向かう。

西塔門の階段を上がると、正面にアンコールワットの姿が

アンコールワットの巨大な正門
門の破風に施された彫刻に注目

1 西塔門
West Gate

西参道を通ってアンコールワットを囲む環濠を渡り、最初に到達するのが西塔門。門にはかつて3つの尖塔があったが、現在は上部が倒壊している。門の左右は通路となっており、右手側30mほどのところには高さ4mのヴィシュヌ神が祀られている。塔門を抜けると正面には、神々しいアンコールワットの姿が目に飛び込んでくる。

1.かつては王だけが通っていた中央西塔門 2.西塔門付近の歯を見せて笑うデヴァター 3.西塔門の彫刻にはクメール軍のサル軍団も

一直線に中央祠堂に向かう参道
「海」を渡り寺院内部へ

2 参道
Causeway

西参道門から大海を表す環濠を渡る。西塔門の向こうには左右対称で均整のとれた美しい祠堂が現れる。参道は第一回廊の手前の十字テラスまで、一直線に350m続く。

1.参道の途中に6つあるテラスには聖獣シンハや蛇神ナーガの像がある

参道を進んでいくと、場所によって3つの塔が見え隠れする

水面に映る逆さアンコールワット。雨季は水量が多く美しい

逆さアンコールワットで人気の撮影場所

3 聖池
Holy pond

西塔門を入り参道を進むと、経蔵の建物の先に2つの聖池がある。その水面に映り込む逆さアンコールワットが楽しめるスポットで、乾季だと参道の右側の聖池は涸れてしまう。

象の門にも注目

象を多用したアンコール王朝。中央の塔門の脇には象が通れるように段差をなくした門もある。

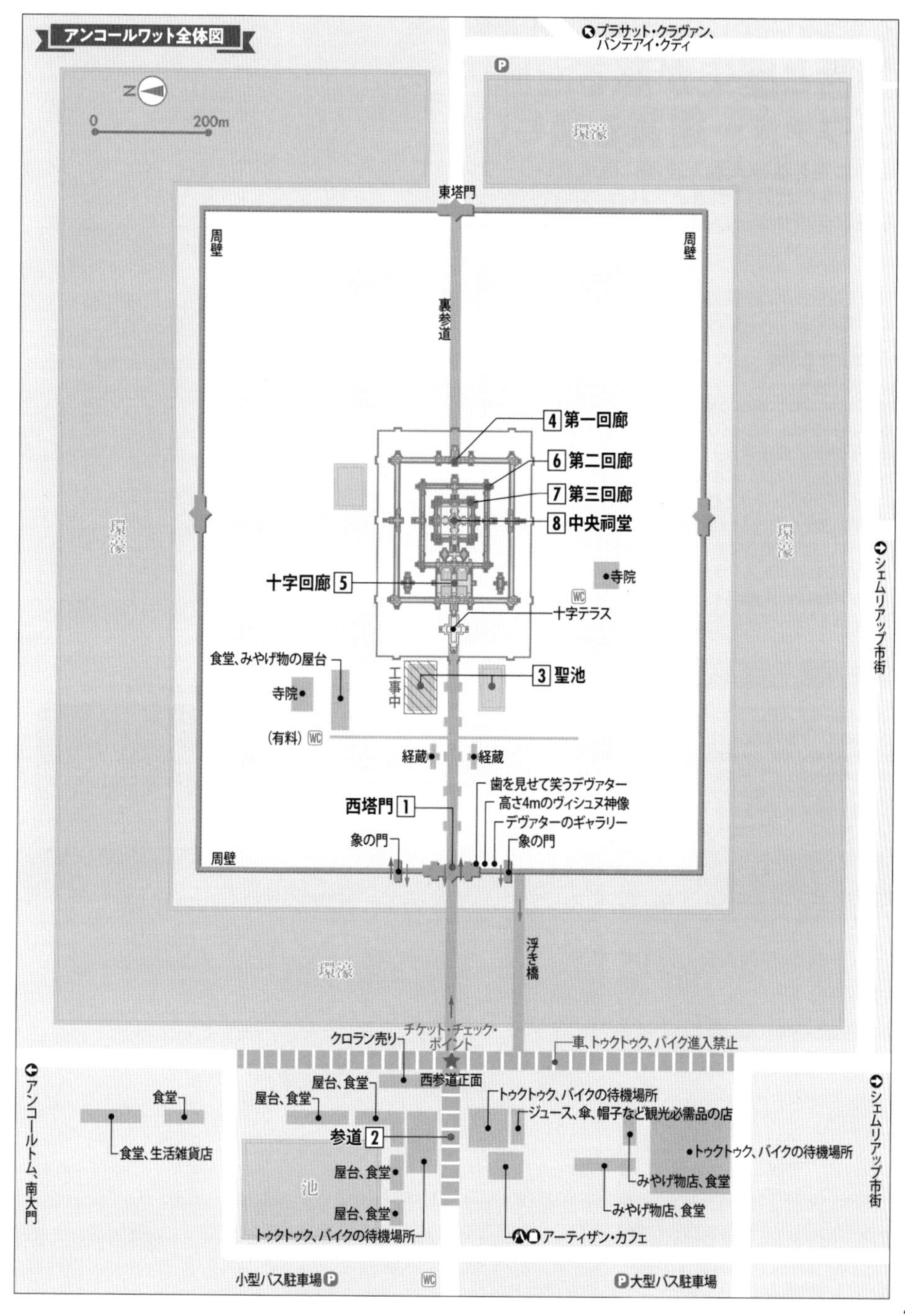
アンコールワット全体図
N
0
200m
プラサット・クラヴァン、バンテアイ・クディ
P
環濠
東塔門
周壁
周壁
裏参道
4 第一回廊
6 第二回廊
7 第三回廊
8 中央祠堂
環濠
環濠
シェムリアップ市街
寺院
十字回廊 5
WC
十字テラス
食堂、みやげ物の屋台
工事中
3 聖池
寺院
(有料) WC
経蔵
経蔵
歯を見せて笑うデヴァター
西塔門 1
高さ4mのヴィシュヌ神像
デヴァターのギャラリー
象の門
象の門
周壁
浮き橋
環濠
チケット・チェック・ポイント
クロラン売り
車、トゥクトゥク、バイク進入禁止
アンコールトム、南大門
西参道正面
屋台、食堂
食堂
屋台、食堂
トゥクトゥク、バイクの待機場所
ジュース、傘、帽子など観光必需品の店
シェムリアップ市街
食堂、生活雑貨店
参道 2
トゥクトゥク、バイクの待機場所
屋台、食堂
池
みやげ物店、食堂
屋台、食堂
みやげ物店、食堂
トゥクトゥク、バイクの待機場所
アーティザン・カフェ
小型バス駐車場 P
WC
P 大型バス駐車場

全長760mのレリーフに見る大歴史絵巻

神話と歴史が蘇る回廊内へ デヴァター鑑賞も楽しい

回廊に足を踏み入れた途端に巨大なレリーフの前で、クメールの世界に引き込まれる。華麗なデヴァターが訪問者を中央祠堂へと導く。

巨大な壁面を隙間なく埋め尽くす精緻なレリーフに圧倒される

まるでレリーフの美術館のよう
乳海攪拌のレリーフは必見

4 第一回廊
First Level

東西215m、南北187mの第一回廊内側のレリーフは、まさにクメール美術のハイライト。西面にはインドの2大古典叙事詩でヴィシュヌ神の化身が主人公の『ラーマーヤナ』と、王家継承の争いを描く『マハーバーラタ』がモチーフ。南面の西側には、アンコールワットを建造したスールヤヴァルマン2世の偉業が、東側には「天国と地獄」の様子が彫り込まれている。

西面 - 北側 ラーマーヤナ

正義と悪の大決戦が繰り広げられる

主人公のラーマ王子が猿軍とともに、魔王のラーヴァナと大戦を繰り広げる光景が刻まれている。馬や馬車から弓を射るのがラーマ王子で、それ以外で弓や刀で戦っているのは魔王のラーヴァナ軍。ハマヌーン将軍に率いられ王子を助ける猿軍も、棒を振り回し敵に噛みつくなど迫力ある場面が続く。

もっと詳しく

インド、ヒンドゥ文化の根幹となる大ロマン

『ラーマーヤナ(ラーマ王行状記)』は古代インドの全7巻の長編叙事詩で、ヒンドゥ教の経典のひとつ。ヒンドゥ神話と英雄ラーマ王子の伝説を織り交ぜたもの。成立は紀元3世紀頃。誘拐された妻のシーターを奪還すべく、ラークシャサの王ラーヴァナと戦う物語。レリーフには第6巻の「戦争の巻」が描かれている。

↑魔王のラーヴァナは10の頭と20の腕を持ち、いかにも凶悪な感じ

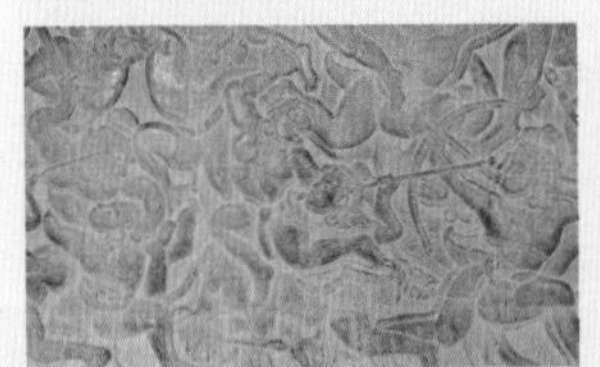

↑こん棒を持って大暴れの猿軍。彫が深いレリーフで、躍動感があふれている

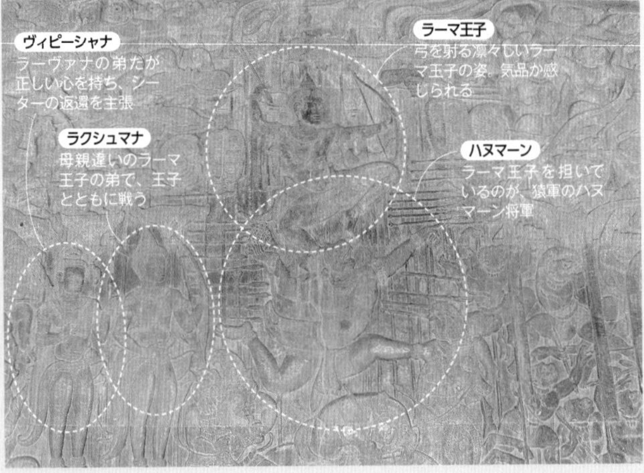

第一回廊の外側にはデヴァターなど壁面装飾も。お見逃しなく！

壁画にとどまらない建築美術。いたるところに多彩な装飾が

塔門レリーフ

回廊の北西と南西にある十字型隅塔には、ラーマーヤナやヴィシュヌ神などのレリーフがあるので要チェック。

天井・柱の装飾

花状紋のタイルが覆ったような天井にも注目したい。手の込んだ柱の装飾や連子窓なども風情がある。

回廊のデヴァター

壁面には華麗な姿のデヴァターが多数彫られている。髪形、ポーズ、腰に巻いた薄衣のスタイルも多彩だ。

東面 - 南側　マハーバーラタ

王位継承をめぐる戦い 臨場感あるレリーフ

全長48mを超える壁面には、マハーバーラタの最終場面である2つの王家の戦いが描かれている。左から進軍するカラヴァ軍と、右から進軍するパーンダヴァ軍が中央では激戦を繰り広げる。両軍の先頭付近にビーシュマ、ドロナ、アルジュナ、クリシュナなど主人公たちの姿もある。

もっと詳しく

インドの2大古典叙事詩のひとつ

『マハーバーラタ(バラタ族の物語)』は、『ラーマーヤナ』とともにインド2大古典叙事詩とされる。紀元前10世紀頃に北インドで起きた王位継承をめぐる2つの王家の争いが物語の軸だが、さまざまな教訓や教典も織り込まれている。

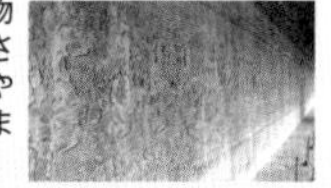

鑑賞のポイント

激しい戦いの末にカラヴァ軍を破り、勝利に歓喜するパーンダヴァ軍の様子

➲次ページ 第一回廊のつづき

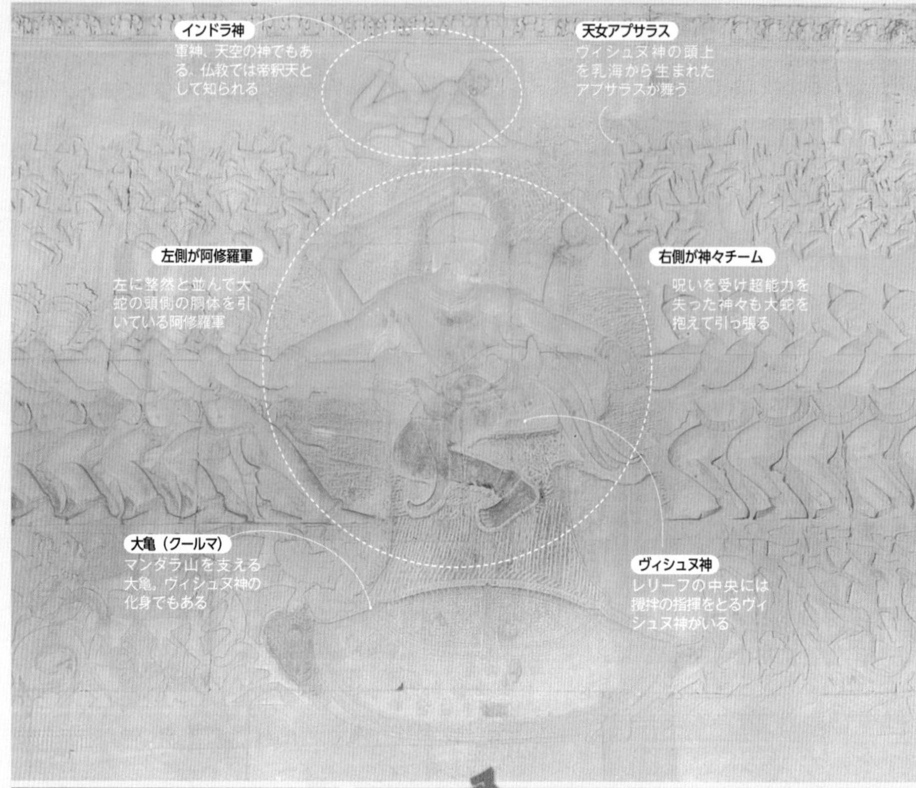

東面 - 南側　乳海攪拌 にゅうかいかくはん

ヒンドゥ教の天地創造の神話を味わう

第一回廊のなかでも特に人気なのが、横幅47mの巨大壁画に描かれる乳海攪拌のレリーフ。ヒンドゥ教の天地創造の神話で、マンダラ山を回転させるため竜王のヴァースキを巻き付け、神々チームと阿修羅軍が左右に分かれて引っ張る。中央では、この綱引きを指揮するヴィシュヌ神が刻まれている。

←阿修羅軍は総勢92体で、大蛇の胴体を引っ張っている。左端は大蛇の5つの頭を抱える阿修羅王

→大蛇の尾の側からは、88体の神々が渾身の力で引いている。右端は猿面の神王が大蛇の尾をつかむ

もっと詳しく

神と阿修羅が攪拌した海からすべては生まれた

乳海攪拌はヒンドゥ教では天地創造の話。インドラにかかった呪いを解こうと、アムリタという不老不死の薬を得るべく、竜王を綱に神々と阿修羅が一緒に海を1000年攪拌する。海は乳海となり、そこから太陽、月、白い象、願いを叶える樹、天女や女神などが生まれたというヒンドゥ教では最も重要な神話。

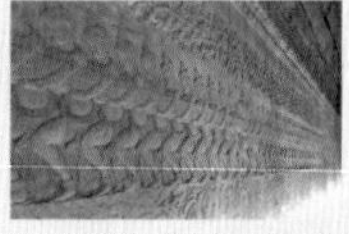

↑象、カメ、ワニ、3頭のウミヘビ、鱗を持つ獅子など多様な生き物を探すのも楽しい

南面 - 東側 天国と地獄

地獄の描写が恐ろしい死後の世界３部作

前半（左側）は3段に分かれ上から極楽浄土、裁定を待つ現世、地獄が描かれる。中央部分は地獄の王ヤーマによる最後の審判の様子、後半（右側）は天国と地獄が2段に分かれて描かれたレリーフ。特に32あるとされる地獄の描写が緻密でその様子は凄まじく残酷、見る者を震え上がらせる。

もっと詳しく

全長66mの巨大レリーフに浮かぶ死後の世界

死後の人々が天国へ行けるか地獄へ落とされるかはヤーマ（閻魔大王）が審判していた。その際ヤーマの従者ダルマとチトラグプタが生前の行いの記録を読み上げた。ここに描かれる37の極楽はガルーダやアプサラスの天女が舞う宮殿での生活、32の地獄は恐ろしい罰が待ち受ける容赦のない世界で身の毛がよだつ。

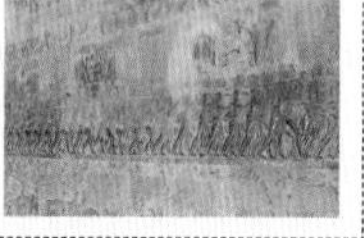

↑牡牛に乗って18本の手に剣を持ち最後の審判を下す地獄の王ヤーマ（閻魔大王）

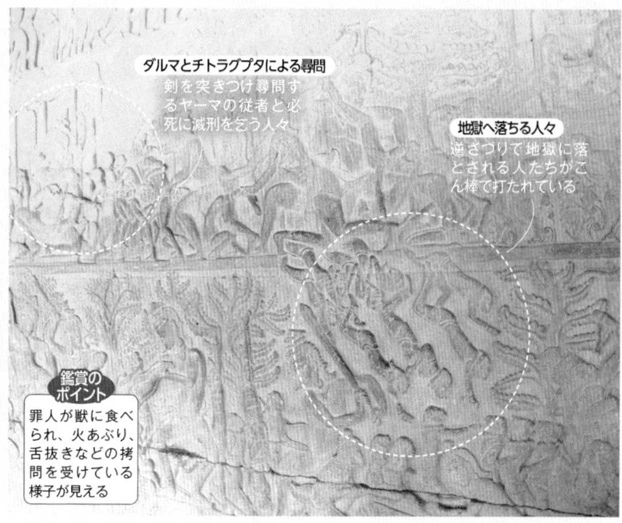

↑地獄での仕打ちは容赦なく、棒で打たれ磔にされ全身に釘を打たれている人も見られる

南面 - 西側 スールヤヴァルマン２世の行軍

勇猛精悍な王が戦いに赴く様子を刻んだ回廊

アンコールワットの創建者であるスールヤヴァルマン2世の勇ましい行軍を描いた歴史レリーフ。戦いは対ベトナム・チャンパ軍のものとされる。王の威厳を誇示するディテールがあちらこちらに見られるほか、整然と行進するクメール軍と対照的に顔つきの違う、乱れた態度の異民族の傭兵を滑稽に描いている点にも着目したい。

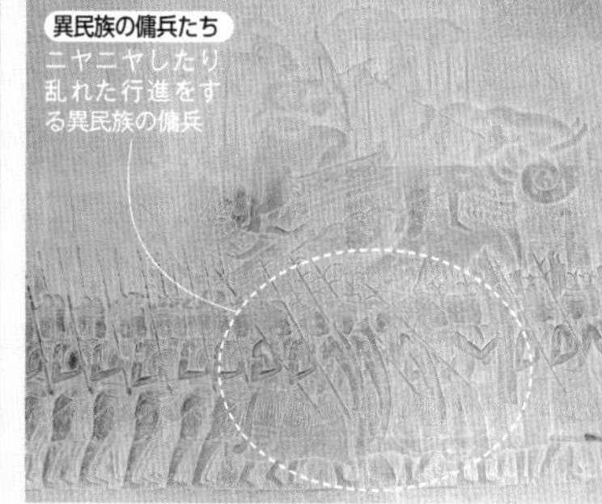

↑象に乗って戦いに赴く王は神の象徴である先のとがった帽子を着用。後ろを振り返り気配りをしている

→次ページ 第一回廊のつづき

東面 - 北側　ヴィシュヌ神と阿修羅の戦い

神々と阿修羅の戦いはヒンドゥ神話の1節

維持神と呼ばれるヴィシュヌ神がほかの神々を率いて阿修羅軍との戦いに挑むヒンドゥ神話の1節のレリーフ。ヴィシュヌ神が勝利するレリーフは未完成であったため、アンコール王朝滅亡ののち16世紀半ばに時の王が中国人らの手で完成させたといわれておりほかのレリーフとは明らかに異なるタッチ。やや雑な仕上がりで登場人物の表情も緻密さに欠ける。

←ヴィシュヌ神以外にもさまざまな神が登場する。ライオンや鹿、象などに乗り力強く弓を引いている

↑象の引く馬車に乗る神々がヴィシュヌ神に加勢して阿修羅軍と勇ましく戦いを繰り広げるシーン

鑑賞のポイント
ヴィシュヌ神は鋭いくちばしの聖鳥ガルーダの肩に乗っている

北面 - 西側　神々と阿修羅の戦い

秘薬アムリタをめぐる神々と阿修羅軍の戦い

乳海攪拌によって生まれた不老不死の秘薬アムリタをめぐり神々と阿修羅が戦いに挑む。ヴィシュヌ神、ブラフマー神、ワーロナ神(雨の神様)、クーベラ神(富やお金の神様)など多くの神が登場する壮大な戦闘シーン。左側が神軍で右側から攻めているのが阿修羅軍。先のとがった三角の帽子のような髪形をしているのが神で、それぞれが専用の乗り物(生き物)に乗り込んでいる。

鑑賞のポイント
大きく翼を広げた聖鳥ハンサに乗る創造神ブラフマーなど神の乗り物に注目

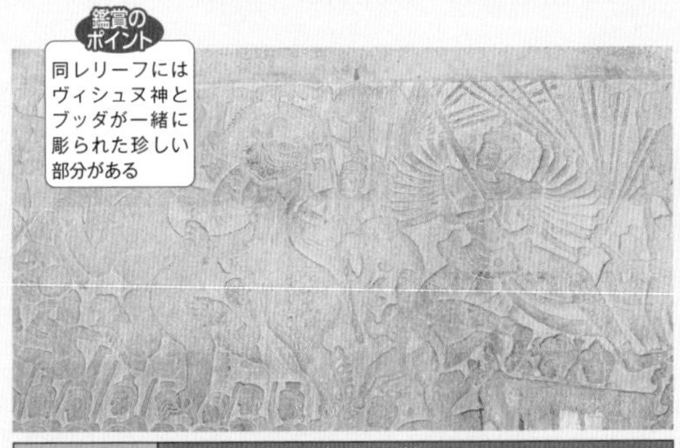

鑑賞のポイント
同レリーフにはヴィシュヌ神とブッダが一緒に彫られた珍しい部分がある

北面 - 東側　クリシュナとバーナの戦い

クリシュナによる怪物退治 後世中国人が彫ったとされる

インドの叙事詩『マハーバーラタ』の付属文献『ハリ・ヴァシャ』の1節。クリシュナ神と怪物バーナの戦を描いたもので物語はバーナが戦いに敗れクリシュナにひれ伏す場面で終わる。バーナはシヴァ神に命を救われたが1000本あった腕は4本を残してすべて切り取られたといわれている。こちらも16世紀に中国人らの手で彫られたものとされる。

ヴィシュヌ神の第8の化身 民衆から人気の高い神

インドの民衆に広く愛され続けている英雄神クリシュナ。ヴィシュヌ神の化身で同じ聖鳥ガルーダに乗る。仏教の始祖ブッダもヴィシュヌの化身。

第二回廊に続く十字形の回廊
高度な治水技術を示す施設

5 十字回廊
Cruciform Cloister

十字形に区切られた空間には、4つの沐浴池跡がある。現在は水が張られていないため、基壇部分の建築工法を観察できる。南側には1632年に参拝した森本右近太夫一房の墨書が残っている。北側にある高天井の空間は、大きな反響音を出す「エコーポイント」。

←中央祠堂はこの十字回廊からは見ることができない設計になっている

→天井や梁には、建立当時の朱色の文様がかすかに残っている部分がある

森本右近太夫の墨書
森本右近太夫は1632年に参拝した。「仏四体を奉るものなり」という墨書が残っている

エコーポイント
壁を背にして立ち胸を拳で叩くと、大きな反響音が。その音で忠誠心を試したとか。

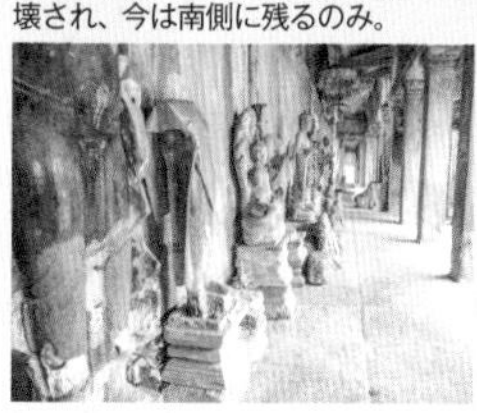

千体仏
多数の仏像がポルポト時代に破壊され、今は南側に残るのみ。

↙↓建立当時、表面に用いた砂岩が朱色に塗られていたため、一部に朱色のデヴァターも

沐浴池の跡。今は水がないが、当時は雨水をため身を清めた

デヴァターが美を競い合う
幾何学模様の連子窓が美しい

6 第二回廊
Second Level

第二回廊での見どころは、外側の彫刻。宮廷の女官をモデルにしているといわれる女神像デヴァターのさまざまなしぐさや表情が楽しめる。また連子格子の窓から回廊に差し込む光と影にも趣がある。内部には、内戦の混乱で頭部を切り取られた仏像が並んでいる。

1

2

3

4

1.第二回廊は宮廷の女官をモデルにしたというデヴァターの宝庫 2.なかから外は見えても、外から内部は見えにくい機能を果たす 3.内戦時に頭部を切り落とされた仏像が紆余曲折の歴史を物語る 4.連子窓から差し込む光が、無機質な回廊内部を蘇らせる

35段の階段を上り天上界へ
回廊の四隅には4基の尖塔

7 第三回廊
Third Level

70度という急こう配の階段を上ると、地上から30mの第三回廊に到達する。入場する際に服装の規定があるのは、ここから先は神の領域と考えられているため。華やかなデヴァターのレリーフと、眼下にパノラマのように広がるジャングルの景色も楽しんで。

1.第二回廊の内側から、中央祠堂向きにたくさんの踊り子(アプサラ)デヴァターの姿を見ることができる

クメール王が神々と一体化する場
アンコール王朝の神々の宮殿

8 中央祠堂
Central Sanctuary

ヒンドゥ教で神々が降臨する場とされる須弥山を具現化したもので、中には4体の仏像が納められているが、ヒンドゥ教寺院として完成した当時はヴィシュヌ像が安置されていた。第三回廊からさらに34mの高さにある中央祠堂は、神々と王の天空の宮殿である。

1.神々が棲まう世界の中心と考えられた須弥山を模した中央祠堂 2.眼下には、かつて王だけが目にしたカンボジアの雄大な景色が 3.神聖な場所だけに肌を露出した服はNG。急階段にも要注意

インドシナ半島の栄華を今に伝える、遺跡の数々
大帝国を築いたアンコール朝

独自の文化を生んだクメール人
クメールの起源

かつて、ラオス南部チャムパサック地方に住んでいたクメール人はほかの民族と交流せず、独自の金属器文化と階級社会を基盤として発展を遂げた民族である。彼らはラオス南部から南方へと徐々に移動しながら、カンボジアの大平原からメコン川流域に小国を形成していった。

およそ紀元前後あたりから、モンスーンを利用してインド人たちがこのクメール人たちの居住地へ交易目的で来航するようになった。沿岸地方に居住していたクメール人たちは、来航するインド人たちがもたらす豊かな文化に魅了され、生活や宗教観をそこから取り入れながら、彼ら独自の文化を形成するに至った。またインド人と婚姻関係を結ぶクメール人も出現し始めた。

独立と分裂・先アンコール
先アンコール

インド文化を受容した「扶南（ふなん）」という国家が、紀元1～2世紀頃、メコン川下流域に建国された。この頃の逸話として、蛇神話やインド人と現地女性の建国伝説が残されている。扶南は海上交通の中心のみならず、森林物産の集散地として発展を遂げた。貿易中継地として栄えたのはオケオ（現ベトナム・アンザン省）で、インドや中国、そしてローマ帝国とも交易を行っていた。扶南は近隣諸国にも支配力を行使したが、インドや中国との交易が衰えると6世紀以降は衰退の一途をたどった。

一方で力を付けたのが扶南の属国であった真臘（しんろう）（チェンラ）で、616年にイーシャナヴァルマン1世が王位に就き、首都をサンボー・プレイ・クックに定めた。7世紀前半には衰退した扶南を併合するに至る。そして約30ほどの地方拠点の城市を持ち、現在のカンボジア全土およびタイのチャンタブリー地方まで統一を図った。657年に即位したジャヤヴァルマン1世は、前国王が失敗した統一を成し遂げ、雲南地方周辺のラオ王国を征服。しかし死後は、王位継承の混乱を端緒として小王国が乱立し、国は北部の陸真臘（りくしんろう）と南部の水真臘（すいしんろう）に分裂してしまう。

ヒンドゥ教寺院プリア・コーは879年創建、アンコール王朝最古のもの

王権の神格化と国内統一
アンコール朝の草創期

8世紀中頃、水真臘はボロブドゥール寺院で知られるジャワ島のシャイレーンドラ朝の勢力下にあった。これを打破したのがアンコール朝の創始者ジャヤヴァルマン2世で、分裂していた国内を再統一し、802年にプノン・クーレン山上で神聖化された「転輪聖王（てんりんじょうおう）」としての即位と国家樹立を宣言した。

877年に王位に就いたインドラヴァルマン1世は、ジャヤヴァルマン2世や跡継ぎの同3世にも仕えた人物で、アンコール朝最初の都・ハリハラーラヤを造営する。亡き先王や祖先を祀るプリア・コー寺院、国家寺院バコンの建立のほか、アンコール地帯の水利事業にも手腕を発揮。大貯水池・インドラタターカを造り、農業の発展にも貢献した。

アンコールの三大聖山プノン・バケンの頂に残る遺跡。9世紀末には高さ約60mのこの場所が都の中心だった

時代	年	出来事	同時期の日本
扶南	1～2世紀頃	カンボジア南部に扶南成立	卑弥呼が邪馬台国の女王となる
真臘（チェンラ）	628頃	真臘が扶南を併合	大化の改新 法隆寺建立
真臘（チェンラ）	706	真臘分裂	大宝律令 平安京に遷都
アンコール朝（クメール王国）	802	ジャヤヴァルマン2世が国内統一。アンコール朝創始	
アンコール朝（クメール王国）	877	ハリハラーラヤ（ロリュオス）を王都とする	
アンコール朝（クメール王国）	889	王都ヤショダラプラ（アンコール）造営	遣唐使廃止
アンコール朝（クメール王国）	928	コー・ケー都城を造営、遷都	
アンコール朝（クメール王国）	944	ラージェンドラヴァルマンが全国統一。再びアンコールへ遷都	平将門の乱
アンコール朝（クメール王国）	1020	西バライ完成	平等院鳳凰堂建立
アンコール朝（クメール王国）	1113	アンコールワット造営	
アンコール朝（クメール王国）	1116	北栄へ使節を派遣	
アンコール朝（クメール王国）	1145	アンコール朝によるチャンパ支配（～1149）	保元・平治の乱
アンコール朝（クメール王国）	1177	チャンパ軍、アンコール都城攻略	
アンコール朝（クメール王国）	1181	アンコールトム造営開始	
アンコール朝（クメール王国）	1190	アンコール朝によるチャンパ支配（～1220）	鎌倉幕府
アンコール朝（クメール王国）	13世紀中頃	スコータイ朝（タイ）成立	承久の乱
アンコール朝（クメール王国）	1296	元朝使節に同行し、周達観がアンコール訪問	
アンコール朝（クメール王国）	1351	アユタヤー朝（タイ）成立	室町幕府
アンコール朝（クメール王国）	1353	アユタヤー朝軍によるアンコール攻略（～1357）	
アンコール朝（クメール王国）	1394	アユタヤー朝軍によるアンコール攻略	金閣寺建立
アンコール朝（クメール王国）	1431	アユタヤー朝軍によるアンコール王都陥落	
		スレイ・サントーに遷都	

**カンボジアのアンコールワットが発見されたのは19世紀のこと。
ジャングルの奥深く眠るこの遺跡はアンコール朝の象徴であり、それはまたこの地の
栄枯盛衰の歴史を思い起こさせ、訪れる者の心に強く訴えかける力をもつ。**

幾度の内戦の末に
アンコールへの遷都

インドラヴァルマン1世の死後、息子兄弟での王位継承争いが起き、その結果889年に即位したヤショヴァルマン1世は、内戦で荒廃したハリハラーラヤからヤショダラプラ（アンコール）に王都を移した。国家寺院とした聖山プノン・バケンを中心として都市を整備し、旧都ハリハラーラヤとアンコールを結ぶ交通路や、巨大貯水池ヤショダラタターカ（東バライ）を造設。広大な農耕地に水を配することができる貯水池は、農耕、主に稲作の増産を実現し、アンコール朝の経済基盤を支える重要な役目を果たすことになった。この時期、支配領域はラオス南部、タイ東北部、カンボジア全域まで拡大された。

ヤショヴァルマン1世の死後は平安の時代は長く続かず、コー・ケーへの遷都や2王並立など混乱の時代が続く。1010年、これを収めたのは地方の王族の一人スールヤヴァルマン1世で、40年近くと長く続いた治世下で、外征により領域はヤショヴァルマン1世を超えるまで拡張し、国内の統治機構も整えられた。西バライの建造やタイとの国境近くにあるプレア・ヴィヒアの大規模な修繕を行ったほか、仏教の庇護者としても知られている。

↑力で手に入れた王位をアピールする目的もあったアンコールワットの寺院

アンコールワット建造と混沌
アンコールワットの造営

12世紀前半、国を二分する内乱の果てに即位したスールヤヴァルマン2世のもと、クメール美術の真髄ともいえる歴史的大寺院、アンコールワットは建造された。中国との国交再開や、チャンパ、ベトナムなどとの戦争で最大の版図を獲得したり、華々しい業績が並ぶ一方で、相次ぐ外征や大寺院の建造が大きな負担となり、王の死後、国家は混沌の時を迎える。続く王はこれを収めることができず、1177年には王都アンコールがチャンパに奪われ、王朝存亡の危機に瀕してしまう。

アンコール朝の最盛期
ジャヤヴァルマン7世

チャンパに遠征中だったアンコールの王子・ジャヤヴァルマン7世は王都陥落を知り帰省し、祖国を解放し1181年に王位に就く。クメールの覇者とも称された王は仏教徒で、崩壊した王都の再建に熱心で多くの寺院を新設したが、なかでも代表的なのは12世紀に建設されたアンコールトムである。この寺院の中には、大乗仏教寺院のバイヨンを建立。石造りの城壁と深い壕が2重にめぐらされ、敵の攻勢を極力防げるよう建造された。また、国外に積極的に進出し、インドシナ半島の大部分を攻略していたチャンパを支配した。

この時期、アンコール朝は最盛期を迎えたといえるが、これも一時的なものでしかなかった。外征や大寺院建造の負担に加え、水利都市としての開発もこの頃限界に達したとされ、以降、国力は衰退の一途をたどった。ジャヤヴァルマン7世は1218年頃に死去、その後チャンパや周辺諸国にも独立の動きが高まっていく。

仏教の追放と王都の放棄
アンコール朝の終焉

内戦と混乱ののち、後継者となったジャヤヴァルマン8世は仏教徒ではなかったため、彼独自の統治を推し進めた。仏教を掲げて王位を狙う反対派への見せしめとして、新たな寺院の建立などは一切せず、仏像のほとんどを破壊するという行動に出た。だが、過激な改革は実を結ばず衰退を止めることはなかった。14～15世紀、アンコール都城はタイのアユタヤー朝軍からの度重なる攻撃を受け、王ポニェ・ヤートはアンコールを放棄し、メコン河畔のスレイ・サントーへ遷都、アンコール朝は終焉を迎えることとなった。とはいえ寺院群は、16世紀には時の王により改修が行われるなど、忘れ去られることはなく、タイへの割譲後も地域の人々の信仰を集め続けた。

ポスト・アンコール期（1500～）／**仏領インドシナ連邦**（1900～）

1528	新都ロンヴェーク造営
1546	アンコールワット修復
1557	チャン・リエチエ、アユタヤー朝に勝利
1594	ロンヴェーク、アユタヤー朝軍により陥落
1618	新都ウドンを建設
1632	森本右近太夫一房、アンコールワット参詣
1731	カンボジア南部をフエ朝（ベトナム）に割譲
1758	グエン朝の宗主権下となる
1767	アユタヤー朝滅亡
1795	アンコール地方はタイ領となる
1841	グエン朝に併合される
1860	アンリ・ムオ、アンコール遺跡調査
1863	フランス・カンボジア保護条約調印
1867頃	プノンペンに遷都
1907	アンコール、タイから返還される

織田信長入京／豊臣秀吉関白／江戸幕府／生類憐みの令／享保の改革／寛政の改革／天保の改革／日米和親条約／明治維新／日清戦争／日露戦争

密林に覆われた水利都市アンコール

東南アジア諸国内で最強の国力を誇ったアンコール。その繁栄は、高度な利水システムと
巨大貯水池による農業生産の増力、対外交易によるところが大きかった。

繁栄の基盤を担った灌漑網

アンコールの地勢とバライ

アンコールは、標高400mのプノン・クーレンと南西のトンレサップ湖の間の平野にある。平坦で広大なこの地は国内各地へのアクセスを円滑にする道路が集中しており、川から船舶で海へ直接出られる好条件件を有し、水上交通の面でも申し分なかった。そのため地理的には政治の中枢として重要な役割を果たすべく存在する場所でもあった。

当時の経済基盤を担っていた農耕に、乾燥した熱帯性のアンコールの気候は適していなかったため、統治者たちはバライとよばれる巨大な貯水池を造営した。バライは地面に穴を掘って水をためる形式ではなく、堤防でためた水の周囲を囲み地面の勾配によって水を農地へ配する仕組みをとっていた。バライのため水は、聖なる山プノン・クーレンから流れてくる川からの水と雨季に降る大量の雨水によるものだった。高く造られた堤防に囲まれていたため、水位は川底よりも高くなっており、堤防を開口するだけでその傾斜を利用して水を均等に配することを可能にした。そのため乾季であっても稲作が可能となり、一帯の土地をうるおすことができたのである。

農作物生産力上昇に多大な影響

生活を支えた灌漑水路網

アンコール王朝最盛期の11世紀、各バライを結ぶ水路の発達は7万haの田への水を十分にうるおすことができるほどになっていた。12世紀になるとさらに灌漑水路が張りめぐらされ、アンコール地帯のほとんどが水田になり、野菜や果物そして米は年に3～4回も収穫されるようになる。灌漑網の設備の徹底により農業生産力が上昇、それに従事する人口増加にもつながり、労働力の確保もできるようになった。加えて生産物を交易によって他国へ輸出、これもまたアンコール王朝の繁栄を後押しした。

↑アンコールトムの遺跡を囲む城壁にさらに囲まれた3km四方の環濠

↑人工湖とは思えないほど大規模な西バライの貯水池は現在も機能している

↑水を豊富にたたえたシェムリアップ州の水田、これが王朝繁栄の源であった

巨大な貯水池・バライ

歴代王によるバライ建設

バライはもともと8世紀末にラオス南部のワット・プーに造設された。877年に即位したインドラヴァルマン1世は、王都ハリハラーヤの斜面を利用して東西3.8km、南北0.8kmのインドラタターカを造った。これが最も初期の大規模なバライといわれる。9世紀末になると、ヤショヴァルマン1世の統治時代にアンコールトムの東にヤショダラタターカが造設された。これは東西7km、南北2kmに及ぶ水深3mの巨大な貯水池である。アンコールトムの西に位置する西バライは現在も使用されていて、こちらも東西8km、南北2kmの巨大規模を誇る。

苦肉の策から生まれたダムの利用

橋梁ダムの建設

バライの灌漑網は水路の管理に努力を要した。泥土を含む水が常に流れ込むため、水路に蓄積する泥を除く必要があったためである。不運なことに、水に含有されていた酸化鉄が稲にダメージを与え収穫は年に一度に落ち込んでしまい、12世紀後半になるとダムの造営が始まった。河川に石橋が架けられダムとしての機能を発揮、雨季にためた雨水を乾季に導水路へと誘導するシステムが整えられた。

ARCHITECTURE

アンコール遺跡の建築

長い歴史の変遷をたどり独創的かつ複雑で謎に包まれた伽藍構成。クメール人の独自の宗教観と信仰心が生み出した宗教建築の極みがここにある。

未知なる建築目的を残す遺跡

クメール寺院の特徴と形態

カンボジア国内に存在する膨大な遺跡の数々は、そのほとんどが7〜14世紀に建造された寺院である。この時代は山岳信仰が根強く、寺院も崇高な場所であった山頂に建設されることが多かった。建築様式は、インドのヒンドゥ教と仏教の影響が強くみられる。歴代の王たちはこれら宗教の教えに加えて、彼ら独自の宇宙観を寺院建立に反映させ、未知なる神や仏の存在を寺院によって体現させる方法をとったのだった。大伽藍は特に、彫刻の緻密さと美しさで現代に至るまで人々を魅了する、一種の芸術作品ともいうべき建築物である。

寺院は多くの伽藍の集合により成り立ち、原則として伽藍は東向きに建てられている。左右対称の幾何学的な配置も特徴で、ピラミッド型の中心配置型と、1本の柱を中心とした軸配置型があり、双方とも東西を軸としてシンメトリーに建てられている。伽藍は、中心となる御堂や経文を納めた経蔵、聖像を安置した小さい御堂、門などの配置がバラエティに富んでいる。伽藍内部のこれらの配置は時代ごとに異なり、また増築によってその姿を変え、どの建築物が何の目的で建築されたのかなど不明な部分があるという。

建築様式の完成をみた12世紀

クメール寺院の様式

クメール寺院の建築様式は、時代とともに変化してきた。7〜8世紀には装飾の少ないサンボー・プレイ・クックとよばれる様式が主流だったが、アンコール期になると個性豊かな様式が生み出された。10世紀になると複雑な彫刻が主流のバンテアイ・スレイ様式が登場。12世紀には大伽藍を中心に各建物に彫られた彫刻を際立たせたアンコールワット様式が生まれ、クメール建築はここに完成をみるにいたった。

繊細で美しい彫刻が特徴

建築の特徴的な技法

アンコール遺跡は石造が多いと思われがちだが、実は大半が木造である。この木造建築のテクニックが石造にも生かされ、クメール朝建築の基盤となったといわれている。木造屋根よりも耐久性に優れた石造屋根を実現させるため、建築にはさまざまな工夫を凝らした。主な建築方法は4形式。石やレンガをずらして積み上げ、屋根まですべてを石で構成する「迫り出し構造」、石柱2本の上に石を渡し屋根のように交差させた「まぐさ式構造」、石を徐々に積み上げていく「組積造」、そして骨組みを柱や桁で構成する「軸組形式」である。

高度な芸術性を持つ装飾の数々

装飾とレリーフ

クメール建築の装飾における特徴は、隙間を限りなく埋め尽くすことにある。その装飾は非常に緻密で芸術性が高い。建築物の窓を例に挙げれば、実際には使用できない偽窓にさえ、美しい装飾がびっしりと施され、建物を彩る役目を果たしている。

↑今なお壁面に鮮やかに残る精緻なレリーフは物語性にあふれ雄弁に語りかける

絢爛豪華な装飾で満たされているのは、建築物の入口上部を飾る箇所がメインだが、ここは主に宗教画の装飾が施され建物の特徴を体現する重要な部分でもあった。建物を支える柱にも植物をモチーフとした細かく緻密な彫刻が彫られている。また外部との接触もあったであろうテラスの部分には、蛇神が守護神かつ護符的に用いられていたり、建築物の回廊に刻まれたレリーフには、歴史や神話が織り込まれたものが多い。例えばヒンドゥ教の神の姿を描いたものや、女神像、古代インドの天女といわれるアプサラ像、そして歴史的事実に基づいた戦時の様子などが美しく描かれている。

↑ヒンドゥ教の女神デヴァター。アンコールワットでは女官や踊り子の姿ともいわれる

アンコール王朝最後の城砦都市

古代の宇宙観を具現化した アンコールトム

高さ約25mで上部に観世音菩薩の顔が四面に刻まれている

アンコール王朝の最盛期に築かれた広大な都城。門、城砦、寺院など見どころの多い12世紀末の遺跡で、巨大な観世音菩薩の四面塔が林立するバイヨンが有名。

巨大な敷地は東京ドーム60個分 立体曼荼羅のようなバイヨン寺院

「大きな都」を意味するアンコールトムは、12世紀後半に隣国チャンパ王国との度重なる戦いを経て勝利しつつも、一方で疲弊した国を再建すべく、クメール王朝の最盛期の王であるジャヤヴァルマン7世によって築かれた。高さ約7.5mのラテライト(赤土)の城壁と幅100mの環濠に守られた、一辺が3kmの正方形の敷地には、王宮に加え、寺院、軍当局者の住居、施療院、道路門などが整備された。大乗仏教を信仰する慈悲深い王のもと、かつて10万人が暮らしたといわれる古代都市の遺跡である。9世紀末には同じ地域に王都ヤショダラプラが築かれていて、この王都はいったんは放棄されたが、チャンパからアンコールを奪還したジャヤヴァルマン7世が同地に造営した都の原型となった。外敵の侵入を阻む堅固な城壁と、民衆を救い平和を願う観世音菩薩の多数の四面塔を備えた大王都が再建されたのである。

アンコールトム

Angkor Thom

MAP 付録P.6 B-3

交 南大門(入口のひとつ)までオールド・マーケットから車で20分 開 6:00〜19:00(最終入場18:30) 休 無休 料 共通券の利用

穏やかに微笑む観世音菩薩の
四面塔が見守る寺院

バイヨン

所要1時間

Bayon

アンコールトム MAP 付録P.6 B-2

南門から1.5㎞に位置するバイヨン寺院。クメール王朝で初めて大乗仏教に帰依したジャヤヴァルマン7世は、仏教を取り入れた独自の建築スタイルで、宇宙観を具現化した。バイヨンが象徴するのは神が降臨する世界の中心とされる須弥山(メール山)。寺院内には「クメールの微笑み」をたたえた54基の観世音菩薩の巨大な四面塔が林立し、民衆思いで平和を願った王の思いを伝える。回廊のレリーフからも、クメール軍の戦いから庶民生活まで当時の様子が偲ばれる。上部テラスは2020年より修復のため入場不可。

交 南大門から徒歩20分

創建 12世紀末 信仰 仏教
創建者 ジャヤヴァルマン7世

中央祠堂

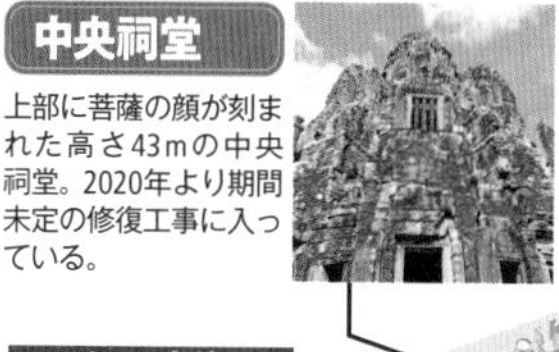

上部に菩薩の顔が刻まれた高さ43mの中央祠堂。2020年より期間未定の修復工事に入っている。

上部テラス

四面塔が林立するテラス。第二回廊を抜けた階段の上にある。

バイヨン立体図

中央祠堂
上部テラス
経蔵
第二回廊
第一回廊
東門

第一回廊

最も外側にある回廊。庶民生活やチャンパ軍との戦闘など当時の暮らしを描いたレリーフが興味深い。

▶P.54

第二回廊

ヒンドゥ教を信仰したジャヤヴァルマン8世時代に彫られたレリーフのため、ヒンドゥ教の色彩が強い。

▶P.57

経蔵

南北に一対で、第一回廊と第二回廊の間にある。日本政府の遺跡救済チームが修復に関わった。

バイヨン様式とよばれる独自の建築様式を持つ荘厳な仏教寺院

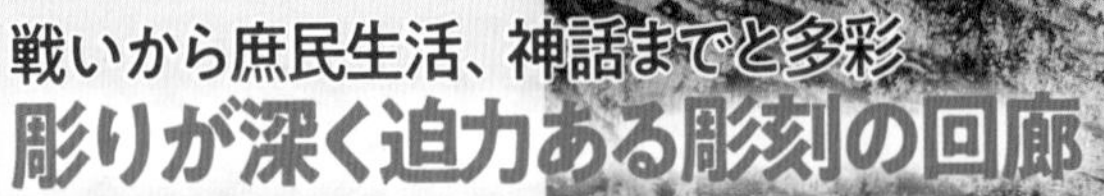

戦いから庶民生活、神話までと多彩
彫りが深く迫力ある彫刻の回廊

12世紀のチャンパ軍との戦いや庶民の日常生活が、第一回廊の壁に一大絵巻のように描き出される。第二回廊ではヒンドゥ教の神話や宮廷内の様子がわかる。

12世紀末のクメール一大絵巻 庶民生活の息づかいも伝える

第一回廊
First Level

東面のレリーフは、褌(ふんどし)姿で槍を持つクメール軍が雄々しくチャンパ軍と戦う様子が細かく描き出されている。圧巻は南面東側の上段にあるトンレサップ湖での水上戦の様子だ。また下段には商売や狩りをする人、炊事、出産、闘鶏など、当時のさまざまな庶民生活が伝わってきておもしろい。西面にはクメール人同士の内戦や寺院建築の様子など、多彩なテーマのレリーフがある。

東面 - 南側

チャンパ軍との決戦に向かうクメール軍

12世紀のチャンパ軍との戦い前夜の様子が刻まれている。兵士だけでなく、軍を支える食料搬送部隊や家族の姿、勝利祈願の生贄の儀式などの様子も。

❶ チャンパ軍との戦いに向かうクメール軍の行進
象に乗った指揮官や、褌姿で槍を突き上げ勇ましい様子のクメール軍が森の中を進んでいく。

東面 - 北側

躍動感あふれるチャンパ軍との戦闘シーン

東面北側では、クメール軍とチャンパ軍の決死の攻防を写実的に描いたレリーフが3段にわたって壁にびっしり刻み込まれている。槍を振りかざすクメール兵士など、躍動感あふれる両軍の激しい戦闘シーンが壁いっぱいに繰り広げられ圧倒される。

❷ 象に乗った軍隊の戦い
短髪のクメール兵と、兜をかぶったチャンパ軍の大激戦。象の上から矢を放つ兵士も見られる。

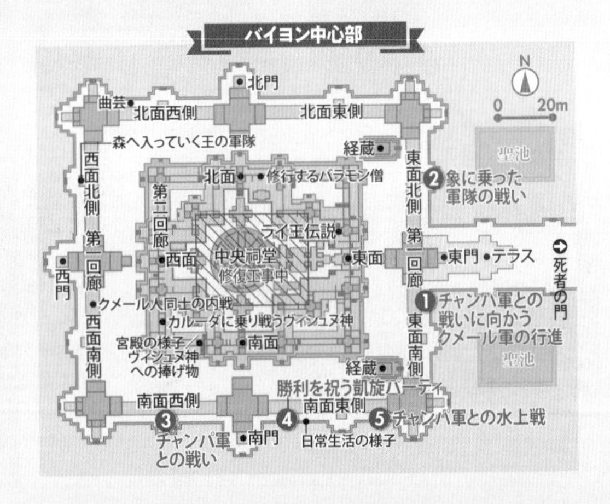

南面 - 西側

軍の行進や戦闘の様子 未完成のレリーフも多い

象の軍隊を中心としたクメール軍の行進や、チャンパ軍との激しい戦いの様子が描かれたレリーフ。未完成部分も多いが太鼓や銅鑼を打ち鳴らしている場面も見られる。チャンパは現在のベトナム中南部に発展した王国でクメールのライバル的存在。

3 チャンパ軍との戦い

象の背に乗った指揮官。その足元を武装した勇ましいクメール兵士が囲んで行進している。

鑑賞のポイント

クメールの象を使った軍隊。太鼓を鳴らして勝機を盛り上げる場面も。

南面 - 東側

トンレサップ湖での水上戦

上層にはチャンパ軍との激しい水上戦が、下層には炊事や出産など庶民の日常生活が描かれる必見のレリーフ。

4 勝利を祝う凱旋パーティ

パーティのための料理風景に注目。豚をゆで、ご飯を炊き、串刺しの魚を焼くなど細部にわたる描写が楽しめる。ジャヤヴァルマン7世によってもたらされた平和な生活が描かれている。

鑑賞のポイント

トンレサップ湖での投網漁。魚やカメ、ワニなどもレリーフに登場する。

5 チャンパ軍との水上戦

クメール軍がチャンパ軍とトンレサップ湖で合戦。船に乗って戦う兵士だけでなく、水に落ちてワニに噛まれている兵士の姿も。

↑商売をする中国人と、その横では手相見のようなユニークな光景が描かれている

↑活気ある市場で物を売る様子。庶民の日常生活の息づかいまで伝わってくるようだ

↑なんと出産場面まで描かれている。クメールの世でも活躍するお産婆さん

➡次ページ バイヨン 第一回廊のつづき

鑑賞のポイント

チャンパ軍との戦闘以外では何をしていたのか？多彩なシーンを見てみよう。

西面 - 南側

クメール人同士の内戦や王宮内の様子がわかる

ここではクメール人同士の争いから、寺院建築のために働く石工と腹の出た棟梁、戦い前の王宮内で将棋をさす人など多彩なテーマのレリーフが見られる。虎に追われて木に登って逃げるバラモン僧など、思わず笑ってしまうレリーフも。

6 クメール人同士の内戦

戦っている人はみんな短髪で耳たぶが長い。クメール人同士の間でも内戦があったことを示すレリーフ。

鑑賞のポイント

アプサラに注目

アプサラとは天女のこと。アンコール遺跡群のあちらこちらに、優雅に舞う美しいアプサラの姿が刻まれている。表情や様子などがそれぞれ違うので、自分に似ているアプサラに出会えるかも。

7 森へ入っていく王の軍隊

チャンパ軍との戦争勝利に向けて神の啓示を受けるべく、瞑想のために森に入っていく王とクメール軍。

西面 - 北側

勝利だけではなかった敗走するクメール軍を描く

ここでは珍しく、戦いに敗れて撤退するクメール軍が刻まれている。1177年にチャンパ軍にアンコールを占領され、敗走したクメール軍がモチーフと思われる。

北面 - 東側

激戦の描写だが劣化する壁面

激戦のすえ、クメール軍が敗北する様子が描かれている。残念ながら、ここのレリーフは劣化が激しい。9

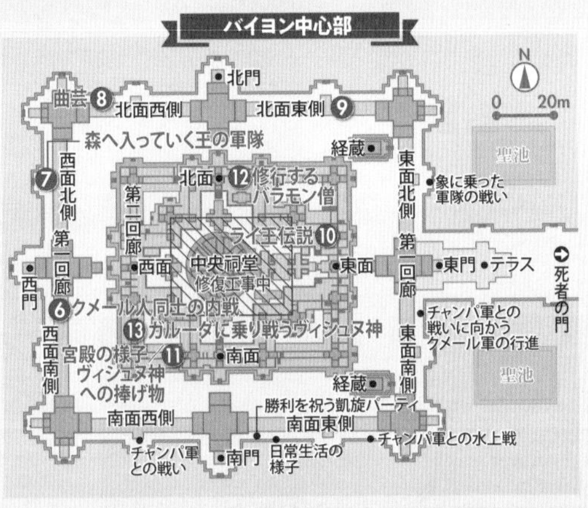

北面 - 西側

庶民が楽しんでいた娯楽の数々

曲芸やスポーツが題材の親しみやすいレリーフ。レスリングの様子は日本の相撲のよう。生活を楽しむクメール民衆の一端が垣間見える。

8 曲芸

離れ業を披露する曲芸師と見物人の楽しいレリーフ。

神話と神々の宮廷のレリーフ「ライ王伝説」の彫り込みも

第二回廊
Second Level

第一回廊と上部テラスとの間にある第二回廊は、多くの小部屋を結んだ複雑なつくり。造設時期もジャヤヴァルマン8世時代に変わり、バイヨンはヒンドゥ寺院に改修されたため、第二回廊のレリーフはインドの神話とヒンドゥ教の神々がモチーフに。ヤショヴァルマン1世が毒蛇退治で返り血を浴びてハンセン病になったという「ライ王伝説」の浮き彫りがある。

⑪宮殿の様子
踊るアプサラや船に乗る人など、優雅な宮殿での様子が伝わってくるレリーフ。

⑪ヴィシュヌ神への捧げ物
アプサラが宙を舞うなか、中央のヴィシュヌ神に祈りと捧げ物をする人々の姿が見られる。

東面

南には軍の行進、北にはライ王伝説

象に乗ったクメール軍の行進や、三島由紀夫の戯曲で有名なライ王伝説の彫刻がある。

⑩ライ王伝説
蛇退治でハンセン病になった王の物語を描く。

南面

シヴァ神とヴィシュヌ神中心にヒンドゥ教の色濃い回廊

仏教信仰のジャヤヴァルマン7世の死後、バイヨンはヒンドゥ教に改宗されたため、ここにはヒンドゥ教のシヴァ神やヴィシュヌ神を讃えるレリーフが多く残されている。

⑫修行するバラモン僧
修行で霊力を得たバラモン僧は王への助言者だった。

北面

シヴァ神の棲むカイラス山巡礼の様子

壁面には、罪の浄化を願ってチベット西部にあるカイラス山を巡礼する人々が描かれている。

西面

ヴィシュヌ神や女官のレリーフが見どころ

ヒンドゥ教の神々や、天地創造神話の「乳海攪拌」をモチーフとした彫刻、王に仕える美しい女官たちの姿を刻むレリーフに注目。

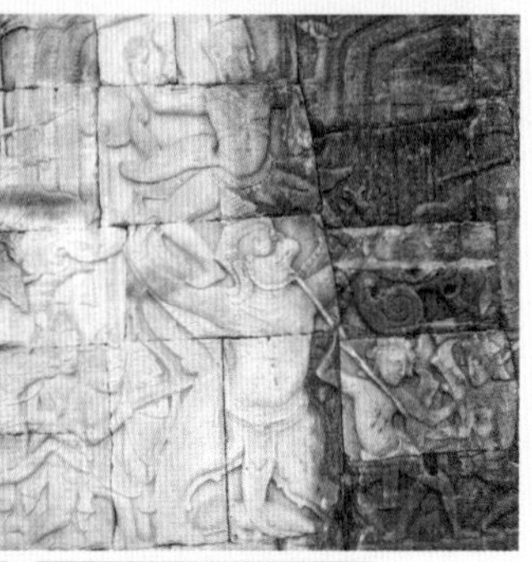

⑬ガルーダに乗り戦うヴィシュヌ神
聖鳥ガルーダにまたがり、戦いに挑むヴィシュヌ神。ガルーダの脇にいる敵兵を蹴散らす勢いだ。

それぞれ異なる表情の観世音菩薩の四面塔が全部で54基ある

虹の架け橋「空中参道」を渡る
カンボジア王妃が子を隠した寺

バプーオン

所要30分

Baphuon

アンコールトム MAP 付録P.6 A-2

11世紀中期に、シヴァ神を祀るヒンドゥ教のピラミッド式寺院として建てられた。「隠し子」を意味する名は、タイ王を恐れたカンボジア王妃が我が子をこの地に隠した伝説に由来する。のちに仏教寺院に改宗される以前は、バイヨンより高い中央祠堂があったといわれる。

交バイヨンから徒歩3分

創建 11世紀中頃 信仰 ヒンドゥ教
創建者 ウダヤディティヤヴァルマン2世

バプーオンの構成

空中参道を経て、内部には2つの回廊と中央祠堂がある。西側壁面には巨大な寝釈迦仏像も。

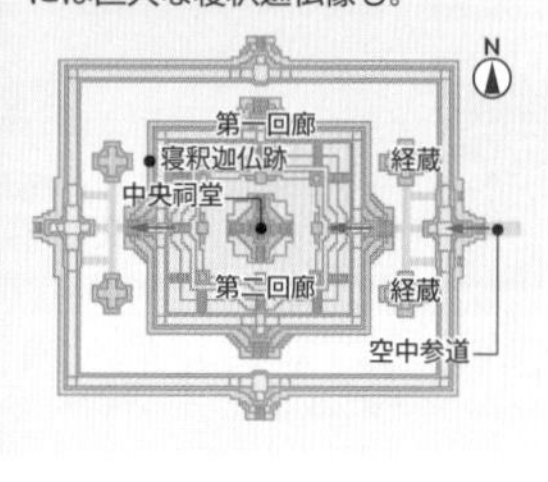

1.左右から石を積み上げた屋根のある回廊。広い窓があり、明るい日差しが差し込む

王族の天上の宮殿ピミアナカス
王宮の屋根瓦や陶器の破片も

王宮跡

所要10分

Royal Palace

アンコールトム MAP 付録P.6 B-2

歴代のクメール王たちが暮らした王宮は木造建築だったため、建物は残っていない。それでも王宮跡地の敷地内には、沐浴場の男池と女池、王族が儀式を行ったピミアナカス寺院がある。ピミアナカスの塔には、王を誘惑したといわれる蛇神が宿るといういい伝えも。

交バイヨンから徒歩7分

創建 11世紀初頭 信仰 ヒンドゥ教
創建者 スールヤヴァルマン1世

1.3層のラテライト基壇の上に祠堂を据えたピミアナカス寺院。天上の宮殿だ

神と阿修羅が並ぶ迷路状の通路
三島由紀夫の戯曲の舞台

ライ王のテラス 所要20分

Leperking Terrace

アンコールトム MAP 付録P.6 B-2

高さ6mのテラスの上に、ハンセン病(らい病)で亡くなったとされるヤショヴァルマン1世の座像がある。ここから着想を得た三島由紀夫の最後の戯曲が『癩王のテラス』。内壁と外壁の間は迷路状の通路で、神々と阿修羅、宮廷生活などのレリーフがびっしり。

交 バイヨンから徒歩8分

創建 12世紀末 信仰 仏教
創建者 ジャヤヴァルマン7世

12世紀末以前にすでにあったテラスの原型。古い壁面も見られる

1

2

3

1.阿修羅と神々、女神像など細密な彫刻が壁を覆う 2.ライ王の彫像の本物はプノンペン国立博物館にある 3.迷路のような通路だが、テラスの構造がわかる

ライ王のテラス・象のテラスの構成

北にライ王のテラス、続いて王宮広場前に象のテラスが南北に。

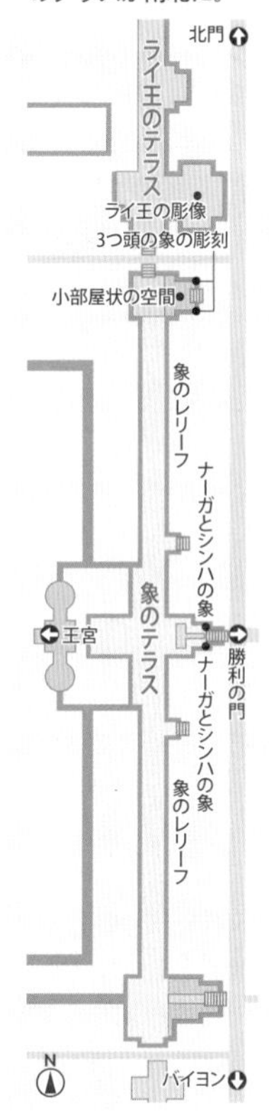

中央階段の柱には蓮の花をつむ象の鼻のデザインが使われている

象の躍動感あふれるレリーフ
勝利の門を見下ろす王のテラス

象のテラス 所要30分

Elephant Terrace

アンコールトム MAP 付録P.6 B-2

王宮広場に面する全長約300m、高さ3mのテラス。ここで王族が閲兵や軍の壮行式を行った。側面は象が行進するレリーフで飾られている。中央の王のテラスは、インド神話の怪鳥ガルーダとライオンが一体化した聖獣ガジャシンハによって支えられている。

交 バイヨンから徒歩5分

創建 12世紀末 信仰 仏教
創建者 ジャヤヴァルマン7世

1

2

1.外壁は躍動感あふれる象が連なるレリーフで飾られている 2.勝利の門に続く階段を守るナーガ(ヘビ)とシンハ(獅子)の像

さまざまな時代の遺跡が密林にひっそりとたたずむ

アンコールトム周辺に点在する6遺跡

アンコールトムの周辺には大小さまざまな遺跡が数多く点在している。どれも魅力的でそれぞれの時代や王の存在を今なお私たちに感じさせる不思議な力に満ちる。

※いずれの遺跡も 開6:00～19:00(最終入場18:30) 休無休 料共通券の利用

東参道手前にある遺跡と一体化したガジュマルの木は必見

対ベトナム勝利記念の建立説も緻密なレリーフや彫像は必見

プリア・カン

所要1時間

Preah Khan

アンコールトム周辺 MAP 付録P.6 C-1

1191年にジャヤヴァルマン7世が亡き父の菩提寺として建立した寺院。「聖なる剣」と呼ばれる。ギリシャ神殿に似た円柱が特徴で、かつては仏教大学として1000人に及ぶ僧侶が滞在していた。ヒンドゥ教や地元の守護霊を祀る寺院として知られる。仏教色の強い箇所が破壊されたまま残る。

交バイヨンから車で5分

創建 1191年 信仰 仏教・ヒンドゥ教
創建者 ジャヤヴァルマン7世

プリア・カンの構成

西参道と東参道があり周縁四方50mごとにガルーダ像が配置されている。

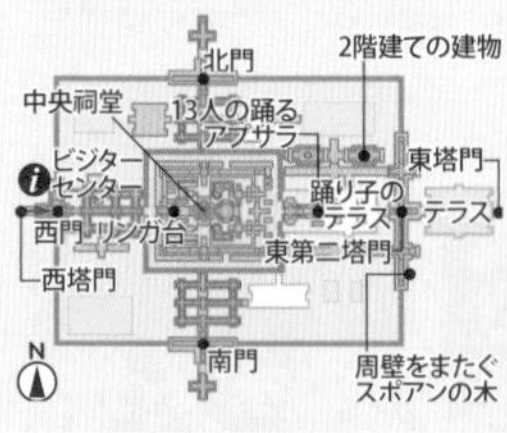

手つかずでほかと違った印象を持つ遺跡。ぜひ足を運びたい

1.西の参道を直進すると中央祠堂の仏塔を発見 2.東の参道にはギリシャ神殿に似た謎の建物がたたずむ

重厚な造りの寺院
小アンコールワットの異名も

バンテアイ・サムレ
所要1時間

Banteay Samre

アンコールトム周辺 MAP 付録P.5 F-1

「サムレ族の砦」の名のとおり重厚なつくりの寺院。6mの周壁や外側には窓のない回廊など要塞を思わせる。アンコールワット造営直後に建てられたので拝殿の連子窓や十字テラス、塔の形状などワットと共通する特徴もみられる。

交 バイヨンから車で20分

創建 12世紀初頭 信仰 ヒンドゥ教
創建者 スールヤヴァルマン2世

バンテアイ・サムレの構成

回廊に囲まれた狭い境内に、拝殿が付属する中央祠堂と2つの経蔵が密着している。

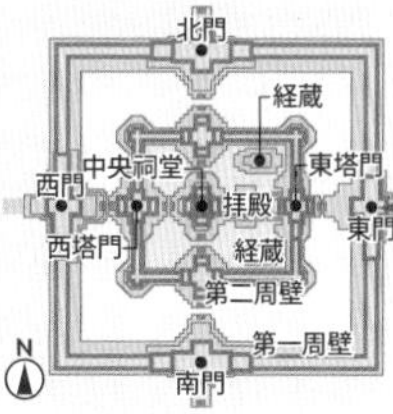

北門
経蔵
中央祠堂
東塔門
西門
拝殿
東門
西塔門
経蔵
第二周壁
第一周壁
南門
N

1.ヒンドゥ教のストーリー性のある彫りの深い繊細なレリーフが点在 2.8本の腕で阿修羅と戦うヴィシュヌ神の彫刻がある破風 3.屋根のなくなった回廊は奥の破風を見せるためのフレームのよう

1.東西約700m、南北約500mの外壁に囲まれた敷地 2.バイヨン寺院でおなじみの、上部に四面仏がある迫力の塔門

バイヨン様式に再建した寺
増改築で迷路のような内部

バンテアイ・クデイ
所要1時間

Banteay Kdei

アンコールトム周辺 MAP 付録P.7 E-3

この土地で10世紀に造られたヒンドゥ教僧院を、ジャヤヴァルマン7世が仏教寺院として改修、再建した。砂石が主な建築材料として使われているため、崩壊が進んでいる。日本の遺跡調査チームが274体の廃仏を発見した。

交 バイヨンから車で8分

創建 12世紀末 信仰 ヒンドゥ教から仏教 創建者 ジャヤヴァルマン7世

バンテアイ・クデイの構成

境内には塔門やテラス、中央祠堂などが一直線に並び、田の字型の回廊がある。

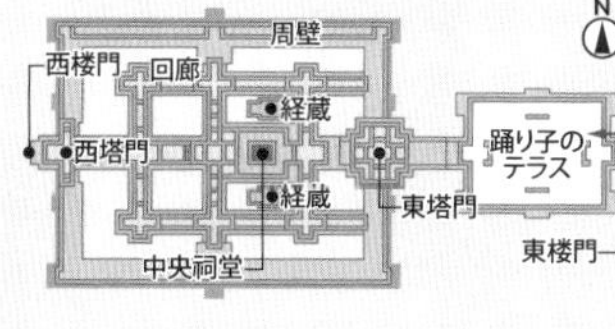

個性的なデヴァターに会える
崩壊進む小さな仏教寺

タ・ソム

所要40分

Ta Som

アンコールトム周辺 MAP 付録P.7 F-1

もともとは僧院だった小さな寺で、タ・ソムは「ソムおじいさん」の意味。伽藍の周囲には、僧が暮らした痕跡がある。全体に崩壊が進み続けていて、東塔門にはリエップという根が絡みついている。一方で、入口の西門周辺に残るおしゃれなデヴァターはそれぞれ表情やしぐさが個性的で人気の的。

交 バイヨンから車で15分

創建 12世紀末　信仰 仏教
創建者 ジャヤヴァルマン7世

1.繊細なレリーフも残る 2.イヤリングをつけた耳元に触れる 3.髪の毛をしぼるしぐさのデヴァター 4.木の根の間に仏像のレリーフが 5.リエップに侵食され異様な光景

タ・ソムの構成

東西には塔門、中心部には回廊に囲まれた中央祠堂がある。出入口は西側。

中央祠堂
リエップが絡みついている
経蔵
西門
東門
西塔門
東塔門
経蔵
回廊
N

東西の塔門には柔和なまなざしの四面仏が刻まれている

かつては貯水池に浮かんだ
ピラミッド型の寺院

東メボン

所要40分

East Mebon

アンコールトム周辺 MAP 付録P.7 F-2

現在は水が涸れているが、昔は東バライ(灌漑用貯水池)の中央小島に浮かぶように建てられたピラミッド型の寺院。水に浸かっていた部分は変色しているため、当時の水位がわかる。かつて外側の周壁の上部まで水があった。

交 バイヨンから車で15分

創建 952年 信仰 ヒンドゥ教
創建者 ラージェンドラヴァルマン2世

東メボンの構成

2重の周壁と、3層の基壇がある。最上段にはレンガ造りの祠堂が5点型に配置。

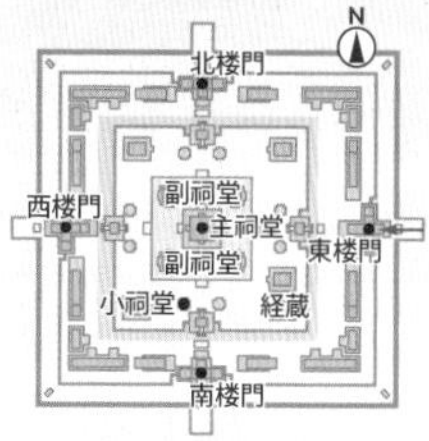

北楼門
副祠堂
主祠堂
副祠堂
西楼門
東楼門
小祠堂
経蔵
南楼門

1.ラテライトの基壇の上にレンガ造りの祠堂が築かれている 2.入口には肉付きのよい愛嬌あるシンハ(獅子)像が立つ

プレ・ループの構成

外周壁、内周壁の内側には3層基壇。その上に5基の祠堂が配置されたピラミッド型。

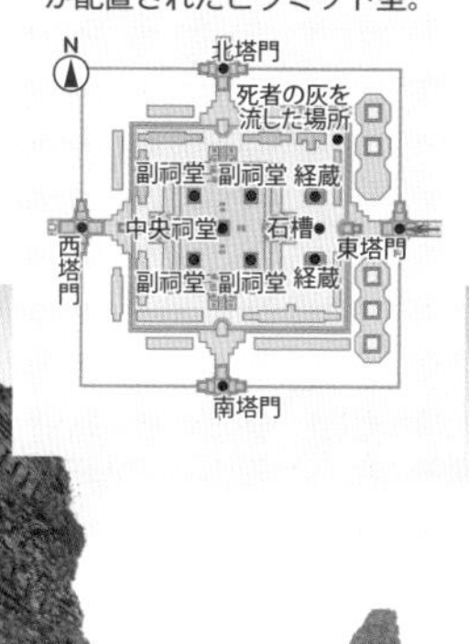

死者を荼毘に付した寺
カンボジア平原を一望できる

プレ・ループ

所要40分

Pre Rup

アンコールトム周辺 MAP 付録P.7 F-3

10世紀後半に造られた寺。かつて境内にある石槽で火葬と、灰で死者を描く儀式が行われていたとされる。プレは体、ループは変化の意味。祠堂にある本物のような偽扉の装飾や、ドヴァラパーラ(門衛神)の彫刻も見逃せない。

交 バイヨンから車で12分 開 6:00~19:30(最終入場19:00) 休 無休 料 共通券の利用

創建 961年 信仰 ヒンドゥ教
創建者 ラージェンドラヴァルマン2世

1.最上層の中央祠堂からはアンコールワットも見渡せる 2.西南の副祠堂にあるブラフマーの神妃サラスヴァティの彫刻 3.火葬したのちに死者の灰を流したといわれる場所

クメール王国最初期の様子を伝える都市遺跡

王朝の記憶が残るロリュオス遺跡群

**アンコール遷都以前に王都だった地、ロリュオス川流域にひっそりと建つ。
バコン、プリア・コー、ロレイの3つの遺跡群として形成された、その存在感に圧倒される。**

9世紀に繁栄した元王都に建立
損傷した部分にも歴史を感じる

ロリュオス遺跡群

Roluos Group

郊外 MAP 付録P.5 F-4

アンコールワットより約300年前にクメール王国最初の王都・ハリハラーラヤに築かれた最古の寺院。ピラミッド型のバコンを中心にアンコール遺跡最古の寺院プリア・コー、大貯水池インドラタターカのロレイなど、どれも歴史的価値が非常に高い。治水技術の高さをうかがわせるロレイでは、呪力を持つ水が流れリンガとよばれる石にパワーを宿すとされている。今も鮮やかに残る精巧で複雑なレリーフは天界の神々、獣神、女神たちの姿。時を超えた芸術性で魅了するこの遺跡の美しさを堪能したい。

交 シェムリアップ市街中心部から車で30分 開 6:00～19:00(最終入場18:30) 休 無休 料 共通券の利用

創建 879～893年 信仰 ヒンドゥ教
創建者 インドラヴァルマン1世、ヤショヴァルマン1世

アンコールのエリアとは別方向

アンコール遺跡のエリアと別の方向に約15㎞ほど離れた場所にあるので、ここだけの観光を半日確保するイメージ。トゥクトゥクや車をチャーターしてまわろう。

必見！珍しい5層のピラミッド

バコン

Bakong 所要1時間

遺跡群で代表的存在の寺院であり、かつて世界の中心地とさえ考えられていた。アンコールワットの原型といわれる5層のピラミッドが特徴で環濠で囲った最初の寺院とされる。

↑インドラヴァルマン1世によりメインの寺院として881年に建立された

バコンの構成

3重の周壁と外濠に囲まれたヒンドゥ教のピラミッド型寺院。

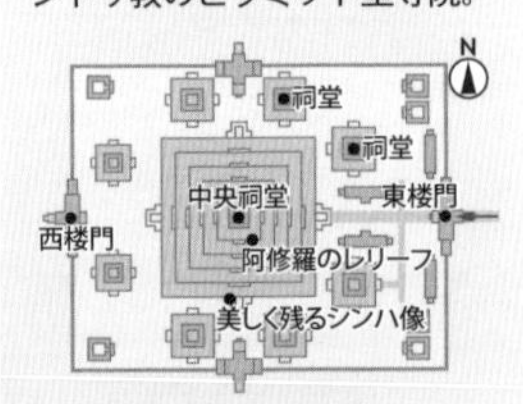

↑参道脇で地面を這う躍動感あふれる蛇神ナーガは必見！

←描かれていたレリーフ彫刻は風化、ちょっと少なめな印象

王朝初のヒンドゥ寺院のお目見え

プリア・コー
Preah Ko

所要30分

プリア・コーとは「聖なる牛」の意味でヒンドゥ教シヴァ派のアンコール遺跡最古の寺院。インドラヴァルマン1世により先王や先祖を祀るために建立された菩提寺とされる。

シヴァ神の乗り物とされる牛が3体、神が出てくるのを正面で待っている

3頭の蛇神ナーガに乗る戦士や騎手が描かれているまぐさ

入口の両側に立つのは門衛神ドヴァラパーラ(金剛力士)

かつては真っ白な漆喰と彫刻で覆われていたことを想像しながら見学すると趣が違ってくる

レンガを積み上げた4基の祠堂、北東の祠堂にはインドラヴァルマン1世が祀られている

馬に乗った神とガルーダの口からナーガが出ているレリーフ

祠堂の中央にあるリンガと聖水を流すための十字の樋は必見

儀式に使われたリンガが残る

ロレイ
Lolei

所要30分

先祖供養のために建立されたロレイは当時貯水池に浮かぶ小島に建立されていた。王は祖父母と両親にこの寺院を捧げたのち遷都を行った。祠堂入口にはクメール文字の碑文も。

※2024年9月現在、修復中(見学は可)

柔和な表情のドヴァラパーラ神が1000年以上経った今も門を護衛している

魅力満載！1日かけて出かける価値のある遺跡

ひと足延ばして訪ねたい郊外の4遺跡

郊外には時の流れを忘れてしまったかのような、秘境の雰囲気たっぷりの見逃せない遺跡がまだまだ多い。世界中の考古学者がいまだ発掘を続けているカンボジア遺跡の魅力は尽きない。

緻密な彫刻の美に息をのむ
池の水面に映える彫刻の美しさ

バンテアイ・スレイ 所要1時間

Banteay Srei

郊外 MAP 付録P.2 B-2

女の砦を意味するバンテアイ・スレイは、967年にラージェンドラヴァルマン2世が建設を始めジャヤヴァルマン5世の時代に完成したヒンドゥ教寺院。盗難に遭ったほど美しい「東洋のモナリザ」と呼ばれるデヴァター女神像が設置されており、ヒンドゥ文化から影響を受けた装飾レリーフの美しさや精緻さは必見。アンコール建築美術のなかでも傑作との呼び声が高い。

交シェムリアップ中心部から車で1時間 開6:00～19:00(最終入場18:30) 休無休 料共通券の利用

創建 967年 信仰 ヒンドゥ教
創建者 ラージェンドラヴァルマン2世ほか

↑1914年まで発見されなかった遺跡。小規模ながら見どころが多いのでゆっくり観賞を

バンテアイ・スレイの構成

表門の東側から赤い参道が続き、2重の周壁を越えてたどり着く構成は中央伽藍を強調する。

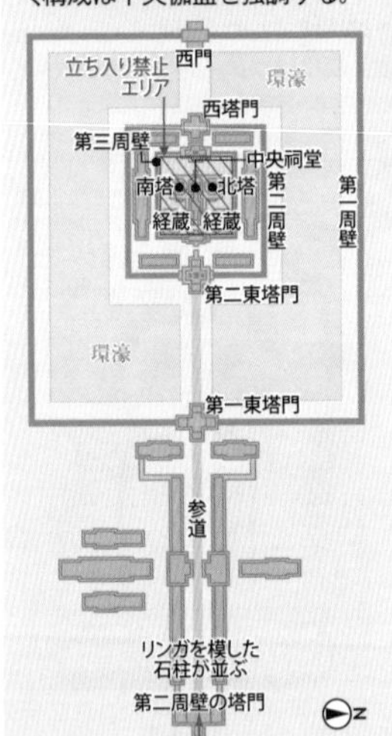

バラ色に輝く午前中＆双眼鏡！

細かいレリーフ鑑賞は双眼鏡があると便利。赤い砂岩の特徴が際立つのは太陽の光が当たる午前中がベスト。また雨に濡れてバラ色が強調される日も美しい。

第二周壁の塔門

旧50R紙幣に描かれている塔門は、その彫刻と全体像の美しさで知られる。

南北に2つある経蔵

南経蔵の破風に描かれているのは世界の悪を実行する悪魔と逃げまどう動物たち。その上段には神とその妻の彫刻が見られる。

気品あるデヴァター

現在間近で見学することができなくなっているが、遠くからでもその気品が伝わる。

東洋のモナリザ

盗難事件を引き起こしたほど人々を魅了した「東洋のモナリザ」は確かに美しいたたずまい。

カイラス山で瞑想するシヴァ神と山を動かそうとする魔王ラーヴァナ

20本の腕と10の頭を持つ魔王が、瞑想を邪魔するために山を動かそうとしている。僧侶や動物が怖がっている様子も。

猿王スクリーヴァと兄猿との争い

中央で争う猿王の兄弟、弟スクリーヴァに加勢し右側から矢を射るのがラーマ王子。戦いに勝利した弟はその後、王子を助ける。

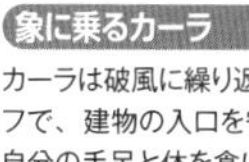

象に乗るカーラ

カーラは破風に繰り返し使われるモチーフで、建物の入口を守る。食欲旺盛で自分の手足と体を食いつくし顔だけに。

大雨を降らせるインドラ神

上部には恵みの雨を降らせるインドラ神、下部は下界で喜ぶ動物や人間の姿。

精緻な装飾の中央祠堂

中央祠堂を厳重に取り囲む半神半獣の守り神と、凝ったつくりの連子窓も見どころ。

⬆倒壊したままで苔むしている山積みの石は、王朝の衰勢を静かに語りかけているよう

天空の城ラピュタのモデル？
発見当時から修復なしで現存

ベン・メリア

所要
1時間

Beng Mealea

郊外 MAP 付録P.2 C-2

ベン・メリアのベンは「池」、メリアは「花の束」。「花束の池」という美しい意味を持つこの遺跡は11世紀末から12世紀初め頃に建てられた。建設に携わったのは、アンコールワットを建設したスールヤヴァルマン2世である。アンコールワットの東約60㎞のところに位置し、実際にアンコールワットはこの寺院をモデルに建てられたともいわれている。

交 シェムリアップ中心部から車で1時間30分
開 6:00〜19:00(最終入場18:30) 休 無休 料 共通券の利用

創建 11世紀末〜12世紀初頭 信仰 ヒンドゥ教
創建者 スールヤヴァルマン2世など

ベン・メリアの構成

十字形の中庭や3重の回廊の伽藍配置。環濠もある平面展開型の寺院構成はアンコールワットと類似している。

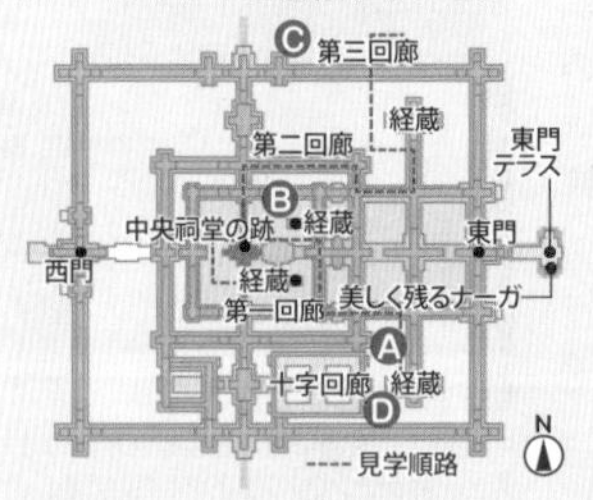

A 観賞順路の木道

遺跡を安全に見学するには遊歩道を利用する。高低差があり遺跡をあらゆる角度から観賞可能で見応えがある。

C 崩壊が進む遺跡

崩壊が進む遺跡内では、保存されているレリーフを間近で見ることができる。ところどころに見事な浮彫が残る。

B 壁の連子窓

壁面には連子窓や神、神話のレリーフが見られる。木道は建物上部へとつながっているので上からの眺めも楽しめる。

D インドラ神の破風

南門近く、経堂の向かい側にある破風のインドラ神のレリーフ。わずかに残ったレリーフからは当時の壮麗な姿が偲ばれる。

断崖の頂上に建つ天空の寺院
2008年に世界遺産登録

プリア・ヴィヒア

所要3時間

Preah Vihear

郊外 MAP 付録P.2 C-1

カンボジア北部にあるタイとの国境、ダンレック山脈の山頂にあるプリア・ヴィヒアは「天空の寺院」と呼ばれるヒンドゥ教寺院。2008年に世界文化遺産に登録された。木造瓦葺きであった屋根は失われ残っているのは石造部分のみだが破風に刻まれた彫刻は一見の価値あり。山頂から見下ろす景色も素晴らしい。

交 シェムリアップ中心部から車で5時間 開 7:00〜16:30 休 無休 料 US$5程度(共通券利用不可)※ 別途山岳ガイドUS$5〜10

創建 9世紀末　信仰 ヒンドゥ教

創建者 ヤショーヴァルマン1世

↑段上にあるのが破風が美しい第三塔門。塔門まで上がるとタイ側がよく見えるスポットがある

プリア・ヴィヒアの構成

南北800m一直線に配置された構成は東向きが一般的なほかのヒンドゥ寺院と異なりユニーク。

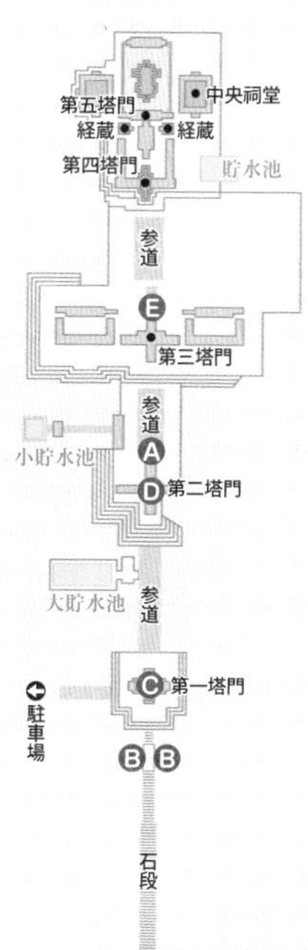

A 第二塔門南側の破風

第二塔門南側の上部には乳海攪拌のレリーフがはっきり見られる。プリア・ヴィヒア遺跡のハイライトのひとつ。

B ナーガの欄干

蛇神ナーガは長い胴体が欄干になっている。悠久の時を経た今も訪問客を迎えている。

C 第一塔門の屋根装飾

2000R紙幣にデザインされている屋根の細かい装飾と両サイドの形に注目。

D 第二塔門

木造瓦葺きだった部分はすでに失われているものの、石造である入口上部のレリーフなどは鮮やかに残っている。

E 第三塔門のシヴァ神

第三塔門の破風部分にこの寺院の神である、聖牛ナンディンに乗るシヴァ神が小さく彫られている。

↑巨大な石材を使用したピラミッド型寺院は、高さ30mとアンコールの遺跡でも他に類を見ない規模

A 建物を覆う血管樹木

プラサット・プラムに毛細血管のような樹木が絡みつく、ミステリアスな光景。

わずか16年で消えた幻の王都
現存する緻密な彫刻群は必見

コー・ケー

所要2時間

Koh Ker

郊外 MAP 付録P.2 C-2

シェムリアップから北東へ約90kmの場所にあり、アンコール遺跡群のなかでも特にジャングルの奥深くにあるコー・ケーは、928〜944年の間、王都であった。プラサット・トムと呼ばれるピラミッド型の寺院をはじめ、各寺院の装飾にみられる繊細なレリーフは「コー・ケー様式」と呼ばれ、クメール芸術のなかで特に繊細かつダイナミックな芸術性を持っている。

交 シェムリアップ中心部から車で3時間 開 7:00〜17:30 休 無休 料 US$15(共通券利用不可)

創建 10世紀前半 信仰 ヒンドゥ教

創建者 ジャヤヴァルマン4世

B プラサット・ダムレイ

四隅に象の彫像が立つ中央祠堂と4つの小さい祠堂からなる。象の首に鈴が付けられている。

C プラサット・プラム

レンガ造りの遺跡はほかにないユニークさ! 保存状態も良いのでじっくり見学しよう。

コー・ケーの構成

7段のピラミッドがあるプラサット・トムを中心に貯水池と周辺遺跡で構成。

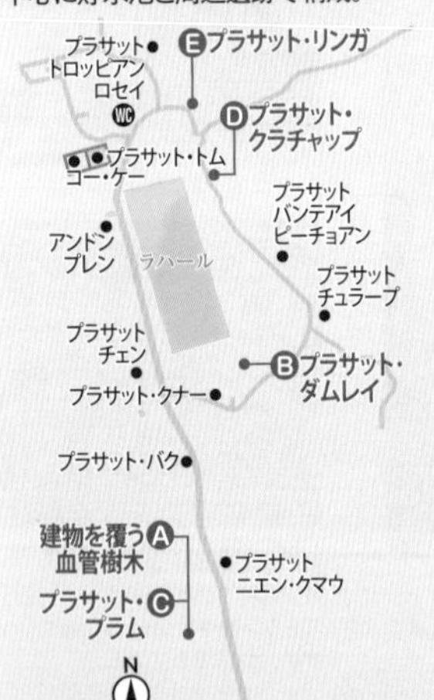

D プラサット・クラチャップ

中央祠堂の周りに4つの建物が並び、周壁で囲まれている。破風レリーフが見どころ。

E プラサット・リンガ

プラサット・リンガ(トゥナン)は直径約1mのリンガだけを祀る。

MEMORABLE DINING EXPERIENCE

グルメ

クメール料理からフレンチまで

Contents

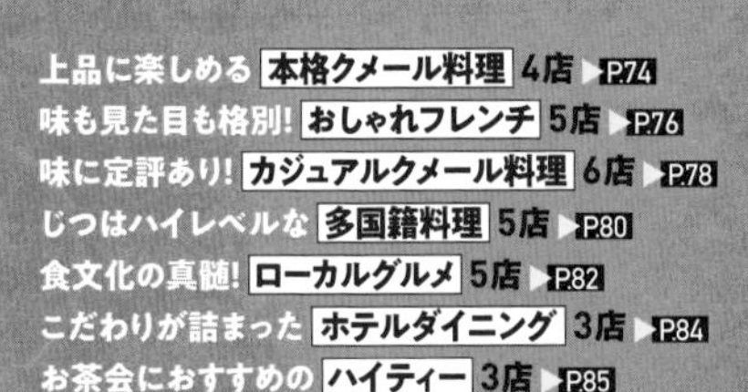

カンボジアの食事で気をつけよう 食べたいものを食べる!

マイルドで、少し甘いクメール料理。スープ麺やおかず料理、スイーツのグルメ天国。本格フレンチからビストロまで、フランス統治時代の面影をリーズナブルな価格で楽しむ。

出かける前に

どんな店を選ぶ?

宮廷ご用達のクメール料理から、屋台のB級グルメ、おしゃれカフェ、東洋のパリと名高いプノンペンのフレンチまで、気分に合わせて食べ尽くそう!

レストラン ……… Restaurant

外国観光客向けレストランは、料金が高めなものの、衛生面、おしゃれな内装やサービスを考えればリーズナブル。味付けも外国人向けに工夫されている。

P.74

食堂 ……… Cafeteria

さまざまなおかずの入った鍋が並ぶ食堂は、地元の味を手軽に体験できる。

P.82

屋台 ……… Stand

サンドイッチやご飯もの、スイーツと何でもアリ。ただし衛生面では注意を。

カフェ ……… Cafe

フランス統治時代に根付いたカフェ文化。おしゃれなカフェでくつろぎたい。

P.86

バー ……… Bar

バーやクラブがひしめくパブ・ストリートや高級ホテルのバーでナイトライフを。

P.90

お店の探し方

ローカル色あふれる老舗やカジュアルな店、隠れ家的なおしゃれな店、外国人客向けなどいろいろ。ネットで事前に調べたり、ホテルで聞いたりして最新情報を仕入れて。地元の人で賑わっているようなら、間違いなし!

予約は必要?

人気の高級レストラン、小規模レストランなどは、事前に予約を。公式HPやネットの予約サービスが利用できることもある。ホテルのコンシェルジュや旅行会社も手伝ってくれる。

営業時間の目安

午前10時から午後10時頃まで。早朝から深夜まで営業しているお店がある一方、午後の数時間でクローズするところもあるので、事前に調べておこう。

カンボジア料理ってどんな味?

野菜や米、淡水魚、肉などを素材にしたヘルシーで日本人の口に合う料理。辛いスパイスやくせのある香草も多用しないのでマイルドな味。淡水魚を発酵させたプラホックというペースト状の調味料には、旨みがたっぷり。ココナッツミルクを使った甘みやライムの酸味など、やさしい味を堪能しよう。

多彩なスパイスと調味料

レモングラスやバジルなどの香草、赤にんにくやウコン、しょうが、胡椒などのスパイスは定番。魚を発酵させて作る魚醤やペースト状のプラホックは料理の基本。

入店から会計まで

入店して席に着く

レストランでは案内された席に着いて、メニューを待つ。食堂では店頭で注文したあと、なかに入って空席に座ろう。混雑時の食堂では相席も。

料理を注文する

観光地のレストランのメニューは、英語も併記されている場合がほとんど。食堂の場合はメニューがなく、店頭のガラスケースや鍋に入った料理を見て、好きなものを選ぶ。

注文できますか。
តើខ្ញុំអាចកម្មង់បានទេ?
ター クニョム アッー(チ)ッカーマァン バン テー?

食後のデザート

南国フルーツと、米や豆、芋なども使ったスイーツがたくさん。冷たいものから温かいものまで、カラフルで多彩なデザートを楽しもう。

指差しオーダーでもよい

食堂や屋台ではメニューがなく英語が通じないこともしばしば。臆せず店頭の料理や写真を見て好きなものを指差しで注文しよう。

会計をする

現金で支払うのが基本。クレジットカード可の中・高級レストランもあるが、手数料がかかることも。

会計をお願いします。
សូមគិតលុយ
ソーム クッルゥイ

お店に行ってから

衛生面について

衛生環境はよいとはいえない。水道水を飲まない、生ものは避ける、手を洗うといった自衛策を。トイレも観光客用のホテルやレストラン、ショッピングセンターを利用しよう。

水(飲み物)、氷について

水道水は避けて、ボトル入りのミネラルウォーターを。食堂や屋台などでは氷の入った飲み物も避けよう。外国人観光客対象の飲食店では特に衛生面に気を使っているが、缶や瓶入りのもののほうが安心だ。

チップは必要?

チップの習慣はないので不要だが、外国人向けサービスではチップを期待されることも。高級レストランや、ホテルのポーター、ガイドやドライバーなどには、状況に応じてUS$1～5のチップを。サービスが悪かったり、サービス料込みの料金なら不要。

料理を持ち帰る場合

レストランによってはテイクアウトや、料理が食べきれなかったときの持ち帰りができる場合も。食堂や屋台では、最初からテイクアウトも可能。ただし、地元の人が行く大衆食堂だと料理の入れ物がビニール袋ということも。屋台のものは特に傷みやすいので、その日のうちに食べよう。

知っておきたいテーブルマナー

カンボジアの食事はスプーンとフォークが基本。日本のような食事前後の挨拶はない。食器を持ち上げてお皿に口をつけたり、麺をすする音をたてたり、大声で話したりするのはマナー違反。食事の前に、テーブルにあるティッシュやナプキンで、自分の皿やグラス、スプーン、フォークを拭く習慣があるのも日本と違うところ。

たばこ、飲酒のマナーは?

ホテルや飲食店の室内は禁煙、オープンテラスはOK。遺跡内は喫煙不可。女性の喫煙、飲酒はあまり好まれないので、ほどほどに。

ローカルフード図鑑

野菜や果物、ハーブがアクセントのやさしい味。心にも体にも効きそう。

タライ・チエン・チュオン
Trei Chien Chuon

カリッと揚げた淡水魚を千切りしょうがと大豆の発酵調味料で炒めたもの。定番の魚料理。

クイティオ
Kuy teav

あっさりしたスープに細い米麺、豚や牛肉、モヤシや刻んだハーブをのせた麺料理。好みでライムを絞る。

バナナの花のサラダ
Banana Flower Salad

刻んだバナナの花と野菜をピーナッツ入りのドレッシングで和えた、さっぱりとしたサラダ。

サイッ・コー・アン
Sach Ko Ang

甘辛いたれに漬け込んだ牛肉を炭火で焼いた牛串焼き。バケットに挟んだり、甘酸っぱい漬物と食べる。

ロックラック
Lok Lak

牛角切り肉を甘辛い味付けで焼いたカンボジア風ステーキ。ライム胡椒をつけながら食べる。

バイ・サイッ・チュルック
Bai Sach Chrouk

下味をつけた豚肉を炭火で焼いてご飯にのせ、漬物とスイートチリソースと一緒に食べる、朝ごはんの定番。

ソムロー・コー・コー
Samlo Koko

いろんな種類の野菜と肉もしくは魚をスパイスと一緒に煮込んだスープ。ご飯でとろみがついていてやさしい味。

ボック・ロホン
Bok lahong

千切りにした青パパイヤとハーブをドレッシングで和えたサラダ。ローカルはカニの塩漬けが入っている。

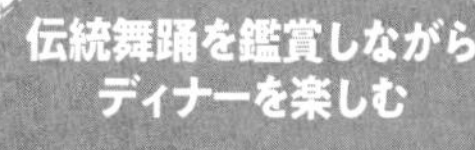

かつては王族しか見ることのできなかった無形文化遺産のアプサラ・ダンス。ダンスを見ながらクメール料理を堪能できるレストランやホテルで優雅なディナーを。

日本語	クメール語	読み
朝食	អាហារពេលព្រឹក	アハー ペィプルック
昼食	អាហារពេលថ្ងៃ	アハー ペィタガイ
夕食	អាហារពេលល្ងាច	アハー ペィランギェ
ミネラルウォーター	ទឹកសុទ្ធ	タック ソッ
ビール	ស្រាបៀរ	スラー ビアー
付け合わせ	ការតុបតែង	カー トッ(プ) タイン
牛肉	សាច់គោ	サイッ コー
豚肉	សាច់ជ្រូក	サイッ チュルック
鶏肉	សាច់មាន់	サイッ モアン
焼いた	អាំង	アン
煮込んだ	ស្ល ចំអិន	スロゥ チョムアン
生の	ឆៅ	チャウン

カンボジアの食文化、宮廷料理を堪能する

上品に楽しめる本格クメール料理4店

クメール料理のなかでも、ロイヤル・クメールを食べられるところは少ない。そんな宮廷料理を食べられる指折りのレストランがここだ。

おすすめメニュー

ロイヤルマックミー US$11
Royal Mak Mee
揚げた米麺の上に、ハーブで味付けしてソテーした豚肉、野菜をのせて食べるサラダ

地元でも有名な高級クメール料理店

マリス

Malis

オールド・マーケット周辺 MAP 付録P.14 C-2

ビジネスの会食やエグゼクティブのお客さんにもよく使われる、カンボジアを代表する高級クメール料理店。有名シェフが提供する料理は伝統を踏襲した本格クメール料理だ。

☎015-824-888 交オールド・マーケットから車で3分 所Pokambor Highway, Mondul 1 Village 営6:30〜23:30 休無休 ※ハイシーズンは要予約 E E

1.たけのことスモークした淡水魚のスープUS$11 2.天井の高い空間に高級感あふれるインテリア、中庭の雰囲気もよい 3.ココナッツミルクと魚、ハーブをバナナの葉の器に入れて蒸し上げた宮廷料理。魚のアモックUS$16 4.神殿風の白い石造りの重厚な外観

デザインホテルの本格クメールレストラン

クロヤー

Kroya

シヴォタ通り周辺 MAP 付録P.15 D-1

その特徴的なデザイン性で人気のシンタ・マニ・ホテル内にあり、レストランの空間もホテル同様に特徴的だ。料理は伝統的なクメール料理のほか、旅行者にはうれしいお得なセットメニューもある。

☎098-969-243 交オールド・マーケットから車で8分 所Hシンタ・マニ・アンコール(→P.134)内 営7:00～10:30 12:00～14:20 休無休

おすすめメニュー

カンポット産シーバス焼き US$15
Grilled Kampot Seabass Fillet

カンボジア南部で取られた新鮮なシーバスをていねいに焼き上げた魚料理

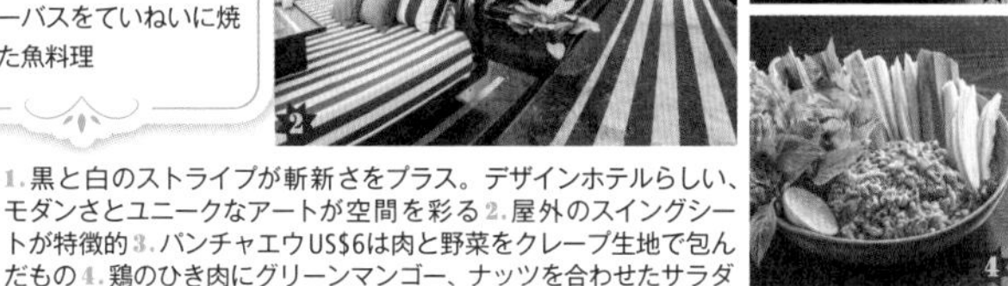

1.黒と白のストライプが斬新さをプラス。デザインホテルらしい、モダンさとユニークなアートが空間を彩る 2.屋外のスイングシートが特徴的 3.バンチャエウUS$6は肉と野菜をクレープ生地で包んだもの 4.鶏のひき肉にグリーンマンゴー、ナッツを合わせたサラダ

カンボジア王室直伝のロイヤル・クメール料理

1932

1932

アンコールワット通り周辺 MAP 付録P.13 E-2

5ツ星ホテルのラッフルズ内にある高級レストラン。前身は国内唯一の王室直伝のレシピを守るル・グランド。伝統に加えオーストラリア出身のグラン・シェフを迎えて新たなエッセンスをもたらした高級クメール料理だ。

☎063-963-888 交オールド・マーケットから車で9分 所Hラッフルズ・グランド・ホテル・ダンコール(→P.129)内 営6:30～22:00 休無休

1.2019年にリニューアルした空間は、従来の建物にモダンな雰囲気が加わった。高級感あふれる家具がアクセントに

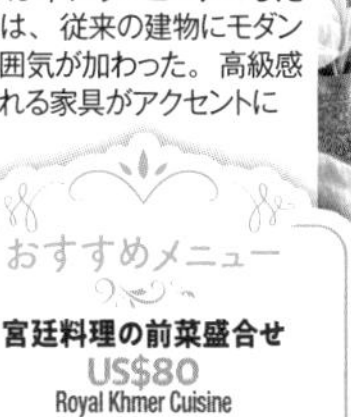

おすすめメニュー

宮廷料理の前菜盛合せ
US$80
Royal Khmer Cuisine

3種の伝統的なクメールの前菜の盛り合わせ。見た目も華やかな一品

高床式の伝統家屋で提供されるクメール料理

クメール・ハウス

Phum Kreus Khmer

国道6号線西側 MAP 付録P.8 A-2

アンコール・パレス・リゾートの敷地内にある。高床式の伝統家屋で木のぬくもりを感じる居心地の良い空間。ゆっくりとカンボジア伝統料理を堪能できる隠れ家的名店だ。

☎012-333-240 交オールド・マーケットから車で17分 所555 Phom Krous, Khum Svay Dangkum 営休完全予約制

1.カンボジアの伝統住宅そのままの雰囲気に、ラグジュアリーホテルらしい調度品をプラス。上質な空間に

おすすめメニュー

ロイヤルクメールセット
US$39
Royal Khmer Cuisine Set

カンボジアを代表する料理がコースで楽しめる。メインの大ぶりの淡水ロブスターは贅沢に1匹グリル

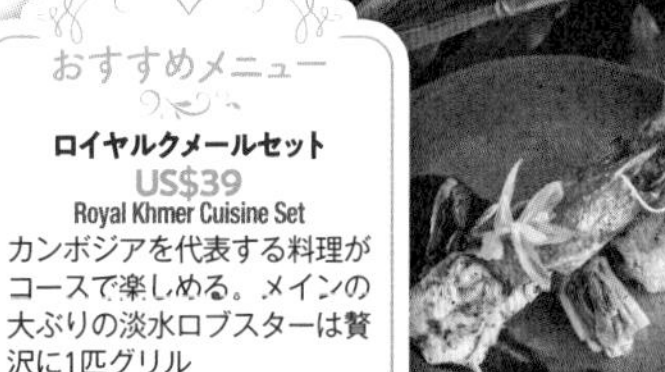

在住フランス人も絶賛の本格派を味わう

味も見た目も格別! おしゃれフレンチ5店

植民地時代から多くのフランス人が滞在するカンボジアならではの、本格的かつ、アジアのエッセンスを盛り込んだフレンチを堪能してほしい。

カンボジアの豊かな食文化を感じる

クイジーン・ワット・ダムナック

Cuisine Wat Damnak

ワット・ボー通り周辺 MAP 付録P.15 E-4

伝統的なカンボジア高床式の木造家屋にあるモダンなレストラン。月替わりのコースメニュー(US$38～)では、地元の市場で手に入る新鮮な食材が使用されている。

☎077-347-762 交オールド・マーケットから車で7分 所Wat damnak market st. 営18:30～23:00 休月曜

1.豊かな緑に囲まれ静かで穏やかな環境のなかで、特別な食事が楽しめる 2.壁や天井の天然木材がカジュアルながら、上品かつ自然との調和を感じられる 3.クリーミーなココナッツミルクの風味がベースになり、甘くてほくほくとしたサツマイモと、黄豆のしっかりとした食感が調和。コースの1品

おすすめメニュー

にんにく茎のフライ、アスパラガスと赤玉ネギドレッシング添え

Pan fried garlic stems cake, fresh Pailin asparagus , red onion dressing

香り豊かな生地を、外はカリッと、中はふんわりと焼き上げた一品。コースの1品

おすすめメニュー US$11.9

フレッシュ・ビーフ・サラダ

Fresh Beaf Salad

ビーフのたたきを上にのせた調味料と一緒に混ぜて食べる

1.赤のテーブルクロスに外の緑がバランスよく目に入る。風が心地よく感じられる席 2.ガーデンから直接入るスタイルで、庭の景色を楽しめる席も

在住者も立ち寄るガーデン式フレンチ

ラ・ケマラ・ポーラート

La Kh'Mère Poulart

シェムリアップ郊外 MAP 付録P.4 C-4

在住者にも人気のレストラン。素敵な庭を楽しみながら優雅に食事ができる。アットホームな雰囲気とスタッフの温かみのある接客で心地の良い時間が過ごせる。

☎017-418-782 交オールドマーケットから車で15分 所89 Sala kamreuk Rd. 営12:00～15:00 17:00～22:00 休火曜

フランスの香り漂う心地良い空間
ル・カル・ド・サック
Le Cul-de-Sac

国際6号線西側 MAP 付録P.8 A-2

緑豊かな庭に囲まれた一軒家。食通たちに愛される隠れ家的なスポット。美しいガーデン席もあり、自然の中で特別なひとときを過ごせる。店内はビンテージの内装で、まるで映画の中にいるような古き良き時代の雰囲気が漂っている。

☎012-229-826 交オールドマーケットから車で15分 所Krous Village Rd. 営11:00～23:00 休火曜

1. 東南アジアの雰囲気をたっぷりと感じられる。外の景色はカンボジアならでは。ゆっくりとした時間で優雅なひと時を過ごせる

おすすめメニュー

US$7

カニとアボカドタルタル

Avocado tartare with fine Crab meat

たっぷりのアボカドを使ったクリーミーなソースと身がたっぷりのカニの相性は抜群

洗練されたフランス料理が楽しめる
アバカス・レストラン
Abacus Restaurant

国際6号線西側 MAP 付録P.8 C-2

トロピカルガーデンに囲まれた落ち着いた雰囲気のなかで、屋内席や美しい庭の屋外席から選べる。フランス産ワインのリストがあり、シャンパンや赤ワイン、白ワインが料理と一緒に楽しめる。

☎012-644-286 交オールド・マーケットから車で15分 所Abacus Ln. St. 営10:30～14:30 17:30～22:30 休無休

1. 牛肉のカルパッチョ US$17.50。ワインとの相性が抜群 2. ライトアップされた緑豊かな植物と、上品に配置されたテーブルが、落ち着いたリゾートのようなムードを演出

おすすめメニュー

US$28

フォアグラ

Foie Gras

口の中いっぱいにソースの深い旨みが広がる

10年愛され続けるフランスの味を
オリーブ
Olive Cuisine de Saison

オールド・マーケット周辺 MAP 付録P.14 C-3

1930年代に建てられた植民地時代の建物を利用しており、天井が高く、赤レンガの壁が特徴のシックでクラシックな雰囲気を持っている。10年以上、在住者から愛され続けている。

☎061-678-994 交オールド・マーケットから徒歩5分 所Olive St. 営11:00～22:00 休無休

1. フランスの伝統的なデザート、プロフィトロール。シュー生地に、バニラ風味のクリームやアイスクリームを詰め温かい濃厚なチョコレートソースをかけて食べる 2. 鴨肉のオレンジとマスタードのソース US$17.50。鴨の風味とオレンジのさわやかな柑橘系の香りが素晴らしい 3. 温かみのあるレンガの壁とウッドフロアが特徴

本格クメール料理をリーズナブルに気軽に楽しむ

味に定評あり! カジュアルクメール料理6店

クメール料理は極端に辛くなく比較的日本人にも食べやすい。正統派の伝統料理や新解釈のフュージョン、雰囲気もさまざまなタイプの店をご紹介。

ザボンのサラダ
Pomelo Salad
しっかりとした果肉のザボンと野菜をサラダに。香ばしく炒ったピーナッツがアクセント
US$6

焼きナスの上に発酵豆の調味料などで味付けした豚挽き肉をのせた一品US$7

生胡椒ならではのさわやかな香りと辛みが絶品のイカの胡椒炒めUS$9

木造の伝統家屋で味わうクメール料理

ザ・シュガー・パーム

The Sugar Palm

ワット・ボー通り周辺 MAP 付録P.15 E-3

伝統木造建築のお洒落な空間で正統派のクメール料理を提供。なかでも注文を受けてから40分かけて作るアモックが評判だ。人気店なので、ハイシーズンのディナーは予約したほうが無難。

☎012-818-143 交オールド・マーケットから車で4分 所Opposite Pannasastra University St.27, Wat Bo Village
営17:30~21:30 休月曜

暗めの照明で落ち着いた空間。高い天井が開放的

フィッシュ・アモック
Fish Amok
US$10.50
ココナッツミルクとハーブで味付けしたソースで魚と香草を煮込むタイプのアモック

リバーサイドの緑を引き込んだような庭

牛肉を香草と一緒に食べるビーフロックラックUS$11.50

クリーミーなソースで食べるおこげ US$9.50

シックな色合いの家具に、アンティークをちりばめた上品な空間

伝統クメール料理がカジュアルに楽しめる定番店

チャンレイ・ツリー

Chanrey Tree

オールド・マーケット周辺 MAP 付録P.14 C-2

旅行者にも各国在住者にも人気で、ハイシーズンには予約必須だ。アンティークや絵画に彩られた雰囲気抜群の空間で本格的なクメール料理が楽しめる。

☎017-799-587 交オールド・マーケットから車で2分 所Mondul 1 Village, Pokambor Ave. 営11:00~14:30 17:30~22:30 休無休

ロックラック US$3.5
Lok Lak
カンボジア伝統料理で、甘辛いタレで炒めた一口サイズの牛肉が特徴。胡椒とライムを混ぜた小皿のソースが肉と好相性

リラックスできる
贅沢な時間を提供
アーバン・ツリー・ハット
Urban Tree Hut
ワット・ボー通り周辺 MAP 付録P.15 F-4

ガーデンエリアやエアコン付きの屋内席があり、リラックスした雰囲気で食事が楽しめる。手ごろな価格で、スタッフのサービスも良い。朝食メニューも好評。

☎011-800-004 交オールド・マーケットから車で10分 所Wat Bo Village 営6:00〜23:00 休無休

←木々の間に浮かぶランプが幻想的

←カジュアルながら上品な店内

見た目も味も鮮やかな
フュージョン・クメール
マホープ・クメール・クイジーン
MAHOB Khmer Cuisine
アンコールワット通り周辺 MAP 付録P.10 C-3

オーナーシェフは海外の高級ホテルやレストランで10年以上の経験を持つ。提供される料理は地元の食材を使い伝統料理をベースにした見目麗しいフュージョン・クメールだ。

☎015-966-986 交オールド・マーケットから車で11分 所River Rd., Truing Village 営11:30〜23:00 休無休

↑伝統木造住宅を利用した店舗には美しい庭が広がる

↑自然素材を使ったインテリアや若手アーティストの絵画がおしゃれな空間を彩る

US$12.5 鴨胸肉のロースト
Honey Duck Breast
ハチミツと調味料でマリネした鴨胸肉をやわらかくロースト、オリジナルソースで味わう

↑アリの酸味がアクセントの牛肉の蟻炒めUS$12.50

高級感漂う空間でリーズナブルにクメール料理を
パレート・アンコール・レストラン&バー
Palate Angkor Restaurant & Bar
ワット・ボー通り周辺 MAP 付録P.13 E-4

リバーサイドに位置するブティックホテル併設のカジュアルクメールレストラン。日本人の口に合う味付けと華やかな盛り付けのクメール料理がカジュアルに楽しめる。

☎012-983-980 交オールド・マーケットから車で4分 所Acha Sva Rd. 営17:00〜22:00 休無休

↑カジュアルレストランながら、高級感あふれるインテリア

↑グリーンマンゴーサラダUS$8.50

ツアー向け アジアンセット
Asian Set
グリルした魚のタマリンドソース、季節の野菜炒め、鶏肉のトムヤム炒めにライスが付く

サバのグリル
Whole Mackerel
骨なしのサバを味付けしてグリル。付け合わせの季節のサラダとタロフライも美味
大・US$8.25

接客もクオリティも◎
トレーニングレストラン
スプーンズ
SPOONS
シェムリアップ郊外 MAP 付録P.4 C-4

併設の職業訓練校のトレーニングレストランとしてオープン。とはいえ、料理はボリュームたっぷりで味も接客もクオリティは高い。エコをテーマに竹を多用した開放的な空間が気持ちいい。

☎076-277-6667 交オールド・マーケットから車で5分 所0142, Group 5, Pave Rd., Wat Damnak Village, Salakomreouk Commune 営11:00〜22:00 休無休

↓水色がアクセントの開放的で軽やかな空間

さまざまな人が集うアジアならではの各国料理

じつはハイレベルな多国籍料理5店

海外からの在住者も多いシェムリアップでは各国料理が味わえる店があり、在住者や気分を変えたい旅行者に人気だ。店主こだわりの料理をお試しあれ。

シンプルながら
噛みしめるたび幸せに

ミスター・グリル

Mr. Grill

ワット・ボー通り周辺 MAP 付録P.15 D-2

じっくりと焼いたビーフを手ごろな価格で楽しめる。肉に合わせたワインも種類が豊富。香ばしい炭火焼のビーフと赤ワインの組み合わせがおすすめ。

☎077-645-777 交オールド・マーケットから車で8分 所Wat Bo Rd. 営11:00～23:00 休無休

グリルビーフ US$8.5～
Grilled Beaf
肉汁があふれ出し口の中で広がる。ポテトとインゲン添え

ワイン形をした棚が目を引く特徴的な空間

ポークリブUS$5。ジューシーでやわらか

川沿いに近いワットボー通りに面している。品のよいブラウンの外観

自然と調和する空間で
極上のイタリアンを

フェリーニ

Felliini

ワット・ボー通り周辺 MAP 付録P.14 C-4

すばらしい料理とサービス、雰囲気を兼ね備えた本格的イタリアン。雰囲気もよく、リラックス時間を過ごせる。

☎061-448-899 交オールド・マーケットから車で8分 所Bamboo St. 営11:00～22:00 休無休

竹を全面にあしらった美しい外壁が目を引く

ブッラータチーズとトマトのピザ US$13
Pomodorino e Burrata
バジルペーストと、チェリートマト、モッツァレラチーズ、まるごとブッラータチーズとカンポットペッパーのトッピングのピザ

イカスミのリングイネパスタUS$13。味付けしたリコッタチーズをトッピング

アジアと正統派和食のコラボレーション

ザ・ハシ

The Hashi

ワット・ボー通り周辺 MAP 付録P.15 E-2

日本でも修業経験のある主任カンボジア人シェフが提供する正統派の和食が楽しめる。月ごとに変わるアジアン和食フュージョン料理も美味だ。日本酒も取り揃えており、お酒と食事がゆっくり楽しめる。

☎081-226-007 交オールド・マーケットから車で4分 所Wat Bo St. 営11:00～15:00 18:00～23:00 休無休

→アジアンミックスの不思議な雰囲気が面白い

↑ほどよい塩加減とカリカリに焼かれた皮が香ばしい鮭の頭の塩焼きUS$14

刺身盛り合わせ US$55

The Hashi Sashimi Special

日本で修業したトップシェフが作る見た目も美しい盛り合わせ

地中海の雰囲気を味わいながらおいしいギリシャ料理を

エリア・グリーク・キッチン

Elia Greek Kitchen

オールド・マーケット周辺 MAP 付録P.14 C-3

オールド・マーケットの目の前にある人気のギリシャ料理レストラン。真っ白な壁とさわやかなブルーの窓枠が特徴的な、地中海を彷彿させるおしゃれな内装が魅力。

☎089-325-245 交オールド・マーケットからすぐ 所31 St. 09 Siem Reap 営7:00～23:00 休無休

↑ギリシャ風の白い建物がひときわ目立つ

←ひよこ豆をすりつぶして作るフムスUS$4.5。パンとの相性抜群

ムサカ US$9.95

Moussaka

ナスやジャガイモ、ひき肉、トマトソースを層状に重ねてオーブンで焼いたギリシャの家庭料理

ボリュームたっぷりのステーキが自慢

テル

Tell Restaurant

ワット・ボー通り周辺 MAP 付録P.15 D-3

スイス人が経営する、スイスとドイツの伝統料理とステーキの店。上品な雰囲気もあり、ビジネスパーソンの利用も多い。産地の選べるステーキは肉質もやわらかくどれもおすすめだ。

☎012-326-498 交オールド・マーケットから車で6分 所Wat Bo St. 営11:00～22:00 休無休

↓店内の雰囲気も店員の制服も、スイスのレストランの雰囲気

↑上品な雰囲気の建物。黒の看板が目印

↓チューリンガーというドイツの細長くあっさりとした味わいのソーセージUS$8.50

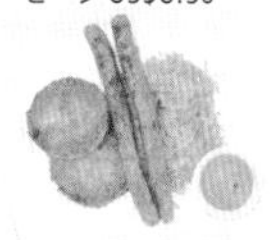

鉄板バーベキュー US$14

Barbecue Sizzling Hot Plate

ステーキと2種のソーセージを鉄板で提供。あつあつを楽しめる

観光客でも安心です! 地元でなじみの深いソウルメニューはこちら

食文化の真髄! ローカルグルメ5店

せっかくならレストランでは出会えない真のローカルフードを食べてみたい。
そんな旅行者にもおすすめ、これを食べたらカンボジア通!?なローカル飯屋をピックアップ。

鴨ヌードルが人気の地元客で
賑わうローカルレストラン

ミーティウ

Mikeav

ワット・ボー通り周辺 MAP 付録P.15 D-2

朝ごはんの時間帯はほぼ満席になる、地元客に人気の店。一番人気は鴨ヌードルだが、ほかにもヌードルから定番料理まで豊富だ。夕方からは定番クメール料理が食べられるレストランになる。

☎なし 交オールド・マーケットから車で6分 所St. Preah Sangreach Tep Vong 営6:00～11:00 15:00～20:00 休無休 E E

牛肉のヌードル US$2.25
Metiv Sai Ko
あっさりしたスープにさっとゆでた牛肉がトッピングされた定番麺料理

鴨ヌードル US$2.50
Duck Noodle
パリッとローストした鴨がのったボリューミーな麺。添えられたゆでモヤシと豆の発酵調味料を好みで

オープンでファサードのない店舗は誰でも入りやすい

カンボジアのザ・ローカルレストランの定番

麺料理とチャーハンの軽食レストラン

バイ・バイ・バイ・レストラン

333 Restaurant

シヴォタ通り周辺 MAP 付録P.14 B-1

麺料理とチャーハン専門のローカルレストラン。日が落ちる頃から地元客で連日賑わう。おすすめはパラパラのあっさり風味のチャーハン。大盛りの一皿だがペロリといける。

☎089-484-785 交オールド・マーケットから車で5分 所Preah Sangreach Tep Vong St. 営11:00～24:00 休無休 E E

豚肉のスープ麺 US$2.50
Pork Noodle Soup
豚骨ベースのあっさりしたクリアスープに煮込んだ豚肉と野菜をトッピング

チャーハン(シーフード) US$3
Fried Rice with Seafood and Vegetable
パラパラのチャーハンにエビと野菜がたっぷり。あっさりした味付けだ

オープンエアの屋台のような雰囲気。街の喧騒そのままの賑わいを楽しんで

地元ビジネスパーソン御用達

バンテアイ・スレイ

Banteay Srey

国道6号線西側 MAP 付録P.12 B-2

カンボジア人が少し贅沢なクメール料理を食べたいときに訪れるレストラン。食事どきには高級車がびっしり。外国人向けにアレンジされていない本当のクメール家庭料理を食べるならここ。

☎012-682-832 交 オールド・マーケットから車で9分 所 108, National Rd. 6 営 6:00〜21:00 休 無休 E E

アモック Amok US$8.50

定番のアモックは、ローカルハーブとココナッツミルクのコクがよく合う一品

野菜とプラホック Prahok ling US$8.50

プラホックとココナッツミルクで煮込んだ豚ひき肉味噌を野菜と一緒に。ほかではなかなか提供されないローカルハーブが食べられる

カンボジアらしい、重厚な木の家具とインテリア

スープセット Soup Set US$10

あっさりしたスープに具を入れて煮込むカンボジア風鍋

ちょっとおしゃれでカジュアルな雰囲気。家族連れにも人気

ローカルが大好きな
鍋料理が手軽に楽しめる

ラタナ・レストラン

Ratana Restaurant

国道6号線西側 MAP 付録P.12 B-3

地元の人にも人気のカンボジア式BBQの店。訪れる人ほぼ全員がスープセットを注文する。基本のセットに自分の好きな具を足して注文するのがスタンダード。写真付きメニューなのでわかりやすい。

☎012-717-673 交 オールド・マーケットから車で8分 所 National Rd. 6 営 16:00〜24:00 休 不定休 E E

地元客で賑わう
クメール家庭料理食堂

チャンレアス10マカラ

Chan Reash 10 Makara

シヴォタ通り周辺 MAP 付録P.14 B-1

カンボジア人が普段食べるクメール家庭料理を提供。注文してから調理するため、できたてが食べられる。地元客にも評判で昼食どきはほぼ満席になる人気ぶりだ。

☎012-925-530 交 オールド・マーケットから車で5分 所 Sivatha St. 営 7:00〜22:00 休 不定休 E E

ベトナム風サワースープ Vietnam Sour Soup with Fish or Chicken or Pork US$3

とてもポピュラーなパイナップルの酸味と甘みが旨みに変わる、酸っぱいスープ。ライスを付けると＋US$0.5

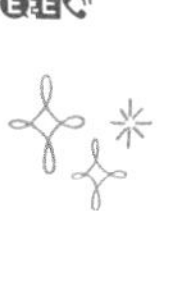

ローカルながら、清潔感のある店内

カンボジア風玉子焼 Fried Egg with Minced Pork and Dry Fish US$3

塩けの強い干し魚と豚ひき肉が入った玉子焼。干し魚の旨みと塩けでご飯がすすむ。ライスを付けると＋US$0.5

シェムリアップのトップ・ダイニング
ムホーズ・ドリーム
Mouhot's Dream
アンコールワット通り周辺 MAP 付録P.10 B-3

アンコール遺跡を発見したことで有名なフランスの探検家に由来して名付けられた。5ツ星ホテルのサービス、著名トップシェフが提供する食事でトップクラスの高級フレンチダイニング。

☎063-964-600 交オールド・マーケットから車で11分 所Hソフィテル・アンコール・プーキートラー・ゴルフ＆スパ・リゾート(→P.128)内 営18:00～22:00 休無休
E E ✆ 💳

↑店名にちなみ、探検家が集うラウンジをイメージ

↑シェフのエリック・ベルゴー氏が腕をふるう

↑オーストラリア産ラムチョップUS$32

華やかな空間でワンランク上の食事を

こだわりが詰まった ホテルダイニング3店

宿泊者ならずとも足を運んでみたくなる、美しいテーブルセッティングに高いホスピタリティ、特徴ある料理の数々に驚くはず。

エレガントな空間と料理を楽しむ
チ・レストラン&バー
Chi Restaurant & Bar
シェムリアップ郊外 MAP 付録P.4 B-3

大人の雰囲気漂うホテルダイニング。料理は正統派のクメール料理を踏襲しつつ、フレンチのような美しいプレゼンテーションのフュージョン・クメール。高いホスピタリティもポイントだ。

☎063-966-788 交オールド・マーケットから車で17分 所Hアナンタラ・アンコール(→P.130)内 営11:00～22:00(モーニング6:00～10:30) 休無休
E E ✆ 💳

↗スイレンの茎の色合いが美しい、ホタテ貝の前菜

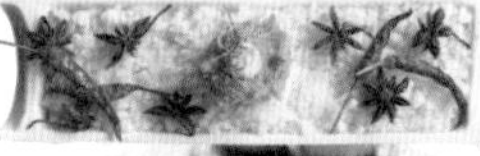
←こちらもコースのなかの一品、ケップクラブケーキ

↑料理長こだわりの手長エビを贅沢に使用したフュージョンセットメニュー(ロイヤル・ハーベスト)US$40

←天井の高いシックなインテリアに、モダンな家具が映える

5ツ星ホテルのクラシックな雰囲気が魅力
ヘリテージ・レストラン
Heritage Restaurant
市街中心部 MAP 付録P.13 F-3

2019年館内をリニューアル。クラシカルでロマンティックな雰囲気漂う館内で、アジアンヨーロピアンフュージョンの料理が楽しめる。セットはこの値段とは思えない豪華さだ。

☎063-969-100 交オールド・マーケットから車で11分 所Hヘリテージ・スイーツ・ホテル内 営6:00～22:00 休無休
E E ✆ 💳

↑クラシカルな雰囲気に、南国リゾートらしい家具が映える

↓アモックとクラブサラダにデザートのバナナの天ぷらが付いたクメールセットUS$30～(要予約、季節により内容が異なる)

クラシックに楽しむ優雅な時間

お茶会におすすめのハイティー3店

フレンチ・カフェ文化を色濃く残すここでは、そこかしこにカフェが点在。カジュアルに楽しむのもいいけど、ちょっと贅沢してみては？

歴史ある建物で楽しむ午後の優雅な時間

ザ・コンサバトリー

The Conservatory

アンコールワット通り周辺 MAP付録P.13 E-2

歴史あるホテルが提供するハイティーは、オーソドックスながら、ケーキ、サンドイッチ、スコーンなど、どれも味は秀逸。雰囲気ある空間でいただくハイティーで贅沢な時間を過ごせる。

☎063-963-888 交オールド・マーケットから車で9分 所Ⓗラッフルズ・グランド・ホテル・ダンコール(→P.129)内 営7:00～23:00、ハイティー14:30～17:30 休無休

↑大きな窓から差し込む自然光で明るく、60年代のリゾートの雰囲気

→カンボジアの素材を使い、ここならではのエッセンスを入れたハイティーUS$29/1人～

午後のひとときは植民地時代を彷彿させる空間で

シャンパーニュ・バー

Champagne Bar

アンコールワット通り周辺 MAP付録P.10 B-3

バー(→P.90)としても人気の空間で味わうハイティーは、植民地時代にタイムスリップしたかのような気分に。庭が見渡せる開放的なテラスでも、さわやかな時間を過ごせる。

☎063-964-600 交オールド・マーケットから車で11分 所Ⓗソフィテル・アンコール・プーキートラー・ゴルフ＆スパ・リゾート(→P.128)内 営7:00～23:30、ハイティー15:00～17:00 休無休

↑クメールスタイルのハイティーは、カンボジアの伝統菓子とクメール風のスナックが味わえる

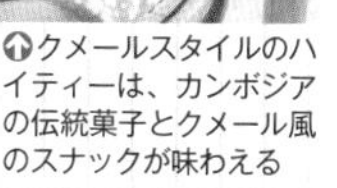

↑植民地時代を彷彿させるクラシックで重厚なインテリア

個性あふれるインテリアでティータイム

ザ・リビング・ルーム

The Living Room

シヴォタ通り周辺 MAP付録P.14 B-1

アジアンミックスのシックで特徴的な空間でいただくハイティーは、クメールのハーブなどもあしらい、空間とともにエキゾチックな雰囲気だ。ぜひ、ゆったりと過ごしてほしい。

☎063-211-234 交オールド・マーケットから車で4分 所Ⓗパーク・ハイアット(→P.131)内 営6:00～24:00 休無休

↑クラシックなピンクが際立つ個性的なインテリア

↓ボリュームたっぷりのおしゃれなハイティーUS$29/1人

↑ケーキやスコーンのほかにキッシュなどのホットミールもプラス

キラリと個性が光るこだわりカフェでティータイム

女子旅を彩るおしゃれな映えカフェ6店

街中にカフェがあふれるカンボジア。地元の人も日常的にティータイムを楽しむ。そんななかでも特徴アリのお店を紹介。お気に入りの店を探してみよう。

Good Taste!

↑ニューヨークチーズケーキUS$3.50。まろやかな口溶けで本格的

↑カフェモカUS$2.99は重厚な味わい

欧米人もしっかり座れる大型のソファでゆったりとくつろげる

おしゃれなストリートで本格派スイーツを堪能する

コモン・グランド

Common Grounds Cafe

オールド・マーケット周辺 MAP付録P.14 C-2

居心地のよいソファがあり、素敵なスタッフがいるカフェ。カンダール・ヴィレッジにあるので、買い物途中でも立ち寄れる。本格派のスイーツや小腹が空いたときはホットスナックも選べる。

☎078-969-861 交オールド・マーケットから車で5分 所Kandal Village 営7:00～20:30 休日曜 E E

カウンター周りのドライフラワーやそこかしこにディスプレイされている小物がおしゃれな店内

↓ザラメがトッピングされたミニシューUS$1.50

Good Taste!

かわいいインテリアでゆっくり過ごせるカフェ

レッド・バッファ・コーヒー・ハウス

Red Buff Coffee House

国道6号線西側 MAP付録P.8 B-2

日本のスイーツが大好きという若手カンボジア起業家がオーナーのお店は、空間や食器にもこだわる。日本のものをフューチャーしたチーズケーキをはじめとするスイーツやペストリーはどれも納得の味。

☎081-595-951 交オールド・マーケットから車で10分 所National Rd. 6 営6:30～19:00 休無休 E E

↑ラズベリージャムともちっとしたパン生地の相性抜群のラズベリー・チーズUS$3.30

→建物の周りは植栽でいっぱい

ユニークなインテリアと
種類豊富なドリンクが魅力

テンプル・コーヒー

Temple Coffee n Bakery

ワット・ボー通り周辺 MAP 付録P.15 D-2

オールド・マーケットから徒歩5分ほどのリバーサイドにあるおしゃれカフェ。小上がりタイプのソファ席がゆったり過ごせてオススメ。フードもリーズナブルで種類豊富だ。

☎090-999-955 交オールド・マーケットから車で5分 所St.25, Archbishop Mondulkov 営8:00～24:00 休無休

Good Taste!

↗外はサクサク、中はしっとりの定番デニッシュ US$2.50

↗コーヒーにピッタリのチョコレートケーキブラックフォレスト US$2.50

カンボジアで独自に展開する
人気チェーンカフェ

ブラウン・コーヒー

Brown Coffee

国道6号線西側 MAP 付録P.12 B-3

オリジナリティにあふれ洗練されたインテリアと、おいしいコーヒーで人気のカフェ。食事やケーキもおいしい。季節のメニューや17時からはケーキやパンが30%オフなどサービスも充実。

☎098-999-818 交オールド・マーケットから車で8分 所National Rd. 6, Ta Phul Village 営6:30～21:00 休無休

↑植栽の間にあるベンチでもゆっくりできる

↓カリフワなフランジパンとアーモンドのハーモニーが菓子パン好きにはたまらないボストック US$1.45(左)。ボリュームたっぷりで甘さ控えめのタルト風デザート。スノークイーンUS$3.05(右)

Good Taste!

カンボジアの日常の道具を使ったアートワークがおもしろい、落ち着いた雰囲気の店内

Good Taste!

↑胡椒フレンチトーストRAYSスペシャル US$6(アイスクリーム付き)

カンポットペッパーに
フューチャーしたカフェ

レイズ・マレッ・カンポット・カフェ

Rays Mrech Kampot Cafe-Kampot pepper

オールド・マーケット周辺 MAP 付録P.14 A-3

自社農園の無農薬カンポットペッパーをもっと知ってもらいたいとオープンしたユニークなカフェ。軽食からケーキまで、メニューに合わせた胡椒を使用している。併設のショップで購入できる。

☎081-974-885 交オールド・マーケットから車で3分 所Stueng Thmei, Svay Dangkum 営10:00～18:00 休月曜

店主のレイナさんが考えたインテリアは、白を基調としてとてもおしゃれ

温室をイメージした明るい店内。ゆったりとしたソファ席もある

Good Taste!

↑しっとりしたアーモンド生地に濃厚なチョコレートが大人の味わいのオペラ・ケーキ US$5

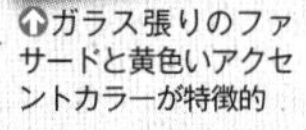

↑ガラス張りのファサードと黄色いアクセントカラーが特徴的

高級ホテル内の
カジュアルティールーム

グラスハウス

The Glasshouse

シヴォタ通り周辺 MAP 付録P.14 B-1

ガラスの温室をイメージした明るい店内で、ホテル自慢のパティシエのケーキや手作りジェラートが楽しめる。サンドイッチなどの軽食もある。

☎063-211-234 交オールド・マーケットから車で2分 所Ⓗパーク・ハイアット(→P.131)内 営7:00～22:00 休無休

せっかくなら味わいたい! 地元で評判のスイーツ店

カンボジアンスイーツが味わえる厳選4店

市場やローカルのお店でしかなかなか出会えない、クメールローカルスイーツだけど、誰もがゆっくりと安心して味わえるカフェならここだ。

落ち着いたおしゃれな空間でゆっくりカフェタイムを

バコン・レストラン

Bakong Restaurant and Cafe

シヴォタ通り MAP 付録P.14 B-3

ホテル内にあるレストランカフェ。入った途端にかわいらしくてワクワク。落ち着いた雰囲気で楽しめる。カンボジアのNGOスモール・アート・スクール(→P108)の絵が飾られている。

☎017-333-932 交オールド・マーケットから徒歩8分 所001 Sivutha Blvd., Siem Reap 営6:00~22:00 休無休 E

↑ウッド調とカンボジアのスタイルがほどよくミックスされている落ち着く空間。友人や家族と一緒に楽しい時間を過ごすのに最適

トロピカル フルーツパンケーキ

→トロピカルフルーツがかわいらしく並べられ、いつも食べるパンケーキとひと味違ってヘルシー

US$4

↑外にはテラス席もある。レストラン利用もおすすめ

リバーサイドの人気カフェレストラン

スラトウム

SiaToum

ワット・ボー通り周辺 MAP 付録P.14 C-3

ローカルにも旅行者にも人気。手ごろな価格でクメール料理が楽しめる。クメールデザートの種類が豊富で、素朴なローカルスイーツを気軽に食べられる。

☎010-300-188 交オールド・マーケットから車で3分 所Rd. 27, Wat Bo Village 営7:00~23:00 休無休

E E

↑シェムリアップ川を眺めるテラス席が人気

カボチャのココナッツミルクしるこ

US$1.50

←甘いココナッツミルクでカボチャを炊いたおしるこ

ヤシ砂糖餡の米粉団子

US$3.40

←ゴマとココナッツスライスをのせた米粉団子。ヤシ砂糖餡の食感がアクセント

豆ともち米のココナッツミルクがけ

US$1.50

↑甘く炊いた豆餡ともち米のおかゆにココナッツミルクをかけた定番おやつ

←カンボジアの伝統木造住宅をアレンジ

有名おみやげ店に併設のカフェ

カフェ・クメール・タイム

Cafe Khmer Time

オールド・マーケット周辺 MAP 付録P.10 B-3

アンコールワット形のクッキーでおなじみのアンコールクッキー内に併設。素材にこだわり、ひとつひとつていねいに作られるフルーツデザートは必食。かき氷は浄水を使用しており安心だ。

☎017-976-660 交オールド・マーケットから車で11分 所On the main Rd. to Angkor Wat, Charles de Gaulle Blvd. 営6:00〜19:30 休無休

⬆緑いっぱいのテラス席でひと休み

⬅マンゴーの大きな看板が目印

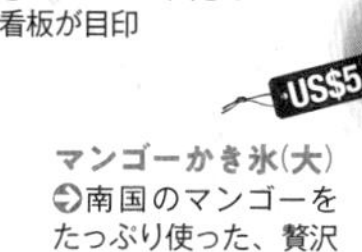

US$5

マンゴーかき氷(大)

➡南国のマンゴーをたっぷり使った、贅沢なかき氷

US$3.30

マンゴースムージー

⬆なめらかさと甘さの極み。南国スムージーの王様的味わい

おいしいフルーツ料理&デザートならここ!

フレッシュ・フルーツ・ファクトリー

Fresh Fruit Factory

シヴォタ通り周辺 MAP 付録P.12 B-4

店名のとおり、おいしいフルーツを安心して食べたいならここ。インスタ映えもするかき氷は評判の一品。パンケーキやコールドパスタなど、フルーツづくしのメニューが自慢だ。

☎081-313-900 交オールド・マーケットから車で5分 所155, Taphul Rd. 営11:00〜19:00 休月曜

US$5.50

パンケーキ

⬇ふわふわのパンケーキにたっぷりのマンゴーとパッションフルーツの甘酸っぱいソースがベストマッチ

US$5.25

アイスマウンテン

⬆色鮮やかなドラゴンフルーツのシェーブアイス。きめ細かな氷にドラゴンフルーツのソースが絡まり、ぺろりと食べられる

⬆ポップな飾り付けがされている

⬅壁には訪れた人のサインとコメントがびっしり

ローカルスイーツ図鑑

せっかくなら、ローカルスイーツも食べてみたい!甘さ控えめから、屋台でしか味わえないものまで5品ご紹介。

ノム・ポン・バラン
Nom pong baran

米粉の生地にココナッツスライスが入っている。屋台で1つずつ炭火で焼かれ、カリふわの食感が特徴。

ノム・ロティ
Nom roti

モチモチの薄いクレープ生地に卵黄を塗って焼き、お好みでバナナ、練乳、ミロを振りかける。

チェーク・チエン
Chek chien

平たくつぶしたバナナに衣をつけて高温の油で揚げる。外の衣はサクサク、中のバナナはトロトロ!

ロー
Lot

緑やピンクの細長いゼリーにかき氷をのせ、練乳とシロップをたっぷりかけた、定番の屋台スイーツ。

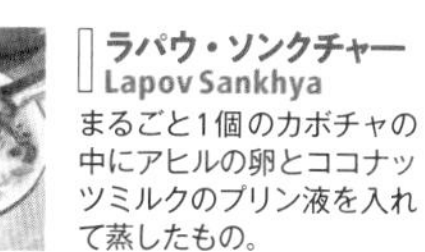

ラパウ・ソンクチャー
Lapov Sankhya

まるごと1個のカボチャの中にアヒルの卵とココナッツミルクのプリン液を入れて蒸したもの。

南国ならではのカクテルと情緒たっぷりの雰囲気

おしゃれして出かけたくなるバー5店

しっとり夜を過ごしたいならホテルのバーで、賑やかに楽しむなら街のバーで。一日の終わりを締めくくるナイトタイムを楽しめる厳選のバーをご紹介。

雰囲気のよいルーフトップ。室内席もスタイリッシュ

おしゃれ空間で楽しむ
カンボジア素材のカクテル

ソッカ・リバー・ラウンジ

Sokkhak River Lounge

オールド・マーケット周辺 MAP 付録P.14 C-2

ハイセンスなインテリアでゆっくりくつろぎながらクメール料理とオリジナルカクテルが味わえるラウンジバー。食事のメニューも豊富。

☎016-210-776 交オールド・マーケットから車で2分 所Pokambor Ave., Around Old Market Area 営10:00～24:00 休無休 E E

↑エビがたっぷり入った、定番のシーフード炒め US$10.50

→ライムの風味がさわやかなマルガリータ

←フレッシュジュースも各種取り扱う

ヨーロッパの雰囲気漂う大人のバー

シャンパーニュ・バー

Champagne Bar

アンコールワット通り周辺 MAP 付録P.10 B-3

植民地時代のヨーロッパの雰囲気が漂う空間でカクテルと食事が楽しめる。なかでも、カンボジアをはじめとするインドシナ地域にインスパイアされたオリジナルのカクテルが魅力だ。

☎063-964-600 交オールド・マーケットから車で11分 所Hソフィテル・アンコール・プーキートラー・ゴルフ&スパ・リゾート(→P.128)内 営7:00～23:30 休無休 E E

↓ボトルがかわいい白ワイン。迷ったらおすすめを聞こう

↗フランス直送の赤ワインも楽しめる

コロニアル調の重厚な雰囲気の高級ホテルバー

→お酒に合う一品料理が豊富に揃う。つい長居してしまいそう

おしゃれで開放的な空間。芝生の庭の席が気持ちよい

←マンゴーベースの唐辛子カクテルUS$4.75　→ジンベースのスイカのカクテルUS$4.75

緑あふれる庭で飲むオリジナルカクテル

ワイルド クリエイティブ・バー&イータリー

WILD - Creative Bar & Eatery

市街南部 MAP 付録P.14 B-4

住宅を改装して作られたカジュアル・ラウンジ・バー。カンボジア素材をふんだんに使ったオリジナルカクテルが人気だ。フードはスプリングロールのみ。ヘルシーでおいしいラウンジバー。

☎099-360-579 交オールド・マーケットから車で3分 所Wat Damnak 営11:00～22:30LO 休火曜、クメール正月、プチュン・バン

アジアと西洋が交錯するエキゾチックなバー

エレファント・バー

Elephant Bar

アンコールワット通り周辺 MAP 付録P.13 E-2

ラッフルズ内にあるこの店は、店名のとおり、そこかしこに象のエレメントを取り入れた、アジアの雰囲気漂う空間。

☎063-963-888 交オールド・マーケットから車で9分 所Hラッフルズ・グランド・ホテル・ダンコール(→P.129)内

営16:00～24:00 休無休

店名にちなんだ象のモチーフを随所にあしらった、シックな空間

↑ラッフルズホテル・シンガポールUS$14

←甘くさわやかなシグネチャーカクテル。アイラーヴァタUS$14

→カウンター席ではバーテンダーの所作を目の前で

ユニークな木造伝統住宅の空間で楽しむカクテル

アサナ・オールド・ウッド・ハウス・カクテルバー

Asana Old Wooden House Cocktail Bar

オールド・マーケット周辺 MAP 付録P.14 B-2

カンボジアの木造住宅を改装した店内は、米袋をリサイクルしたクッションなどが個性的だ。カンボジアのフレッシュハーブやフルーツを使用したカクテルが自慢。カクテル教室も開催(要予約)。

☎092-987-801 交オールド・マーケットから徒歩3分 所10, St.7, Mondul 1 Village

営11:00～24:00 休無休

↑パッションフルーツ・マルガリータ

ユニークな素材使いが特徴的でおしゃれ

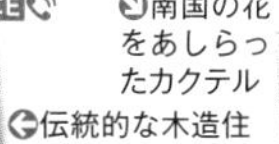

→南国の花をあしらったカクテル

←伝統的な木造住宅をそのまま使用

シェムリアップ随一のパブ・ストリート

今宵はパブ・ストリートで乾杯!

バーやレストランが集まるシェムリアップで最も賑わうエリア。有名人も通う場所もあり、ちょっとミーハーに旅の夜を楽しんで!

パブ・ストリートの中心にあるお店は、オープンエアで開放的

パブ・ストリートとは?

レストランやバーなどが林立する通り。欧米の観光客が多いので夜遅い時間に賑わう。照明が明るく警察も巡回し比較的治安はよい。

アンジェリーナ・ジョリーが訪れたことで有名

レッド・ピアノ

THE RED PIANO

オールド・マーケット周辺 MAP 付録P.14 B-3

パブ・ストリートの名物店、有名人の利用も多く、なかでも『トゥームレイダー』撮影中のアンジーが訪れたことは有名だ。1階2階ともにゆったり座りながら食事とカクテルを楽しめる。

☎092-477-730 交オールド・マーケットから徒歩3分 所341, Pub Street (St.8) 営9:00～翌2:00(土・日曜は～24:00) 休無休 E E

←アンジー来訪にちなんで作られたトゥームレイダーUS$2.75

↑赤を基調としたインテリアが特徴

伝統の踊りを食事とともに

ロバム

ROBAM

オールド・マーケット周辺 MAP 付録P.14 B-3

食事をしながらカンボジアの伝統芸能アプサラダンスが楽しめる。ショータイムの時間も遺跡観光の後にちょうどいい。パブ・ストリートにあるので行きやすい。

☎015-999-922 交オールド・マーケットからすぐ 所Pub St. 営17:00～23:00(ショータイム19:30～21:30) 休無休 E E

→重厚な石像が出迎えてくれるエントランス

2階に上がると広い空間。ショーが見やすい真ん中の席がおすすめ

→ショータイムには本格的なダンサーによる伝統舞踊が。有名なアプサラ以外にも多彩な演出が楽しめる

SHOPPING IS ENDLESS DISCOVERY

ショッピング

手作り雑貨やキッチュなアイテム

Contents

旅の思い出を手に入れる 欲しいものはここにある!

思わずうっとりするシルクから、カンボジアの自然を生かしたオーガニック製品まで。マーケットでは東南アジア特有の喧騒とカオスのなかで、値段交渉の腕を試してみては?

基本情報

休みはいつ? 営業時間は?

観光客向けショップは朝8時頃から夜10時頃まで。市場は夕方までだが、ナイト・マーケットは、午後から深夜まで。4月のクメール正月とお盆の時期は閉店が多いので注意が必要。

路面店 ……… Shop on the street

センスある個人ショップなら、オールド・マーケットの北部、ハップガン通り(Hap Guan St.)のカンダール・ヴィレッジ(P.102)に足を運んでみよう。

マーケット(市場) ……… Market

生鮮食品から、衣料・日用品、みやげ物などがギッシリ詰まった賑わい空間。値段交渉次第でお得に買える。飲食やシャンプーなど美容系サービスもあり。

P.108

ショッピングセンター ……… Shopping Centre

プノンペンにはイオンやソリアなどのショッピングセンターも。食料品や日用品など幅広い品揃えで、飲食も充実。冷房が利いているのもうれしい。

スーパー&コンビニ ……… Supermarket & Convenience Store

スーパーやコンビニでは価格交渉はできないが、おみやげ用のお菓子や香辛料などを安く調達するのに便利。輸入品や珍しい地元の製品に出会えるかも。

P.110

アドバイス

値段交渉について

市場では値札なし商品がほとんどで、値段交渉が必須。英語や日本語が少しわかる店員もいる。言われた値段の半額くらいからスタートしよう。

もう少し安くなりませんか。
បញ្ចុះតំលៃតិចទៀតបានទេ?
バン チョォホ ドムライ タィッティエ バン テー

物売りへの対応

対応に困ってしまうのが、かわいい物売りの子どもたち。興味を示すと「私のも買って」と囲まれてしまうことも。毅然と立ち去る勇気が必要。

支払いについて

クレジットカード可はレストランやスーパーがほとんど。小さな店や市場での支払いにもUS$が使えるが、釣銭はリエルで戻ってくる。少額紙幣、特にUS$1を多く準備しておこう。US$1未満の貨幣は使えないので不要。

マーケット巡りのポイント

地元住民の台所でもあるマーケットは、時間帯で雰囲気も変わる。夕方には閉まるが、午後から夜遅くまで開いているナイト・マーケットも。少し高くとも質の良いカンボジア製の民芸品なら、メイド・イン・カンボジアマーケットで。

世界が誇る カンボジアシルクの魅力

アンコール王朝以前から伝わるというシルク。正装用の巻きスカート「サンポット・ホール」やお寺の天井などに使われる「ピダン」の絹絣は、どれも複雑な模様。織る前に、柄に合わせて絹糸を染色するという驚きの工程から生まれる。王宮の正装用「パームオン」は、違う色の縦糸と横糸使いで、見る角度で微妙に異なる光沢を放つ。内戦で途絶えそうになった絹織物技術の復興に取り組んだ日本人もいる。

生活の必需品「クロマー」

クロマーは長方形に織られた布で、日よけやショール、タオル代わりにも使えるスグレもの。素材や色、柄も多種多様で、いくつも揃えたくなる。

基本単語

マーケット
ផ្សារ
プサー

おみやげ
វត្ថុអនុស្សាវរីយ៍
ヴットォ アノッサ ワーリィ

領収書
វិក័យប័ត្រ
ウィッカイヤッバッ

高い
ថ្លៃ
タラァイ

安い
ថោក
タァオク

欲しい
ចង់បាន
チョンバーン

手に取ってもよいですか。
តើខ្ញុំអាចយកវាបានទេ?
ター クニョム アッヨッ ヴィア バン テー?

それを見せてください。
សូមបង្ហាញមួយនោះ
ソーム ボン ハーン モォイ ノォッ

ショッピングの注意点

スリに注意

マーケットなど混雑する場所では、スリ、置き引きに注意。忍び寄るバイクにひったくられないようバッグは胸の前に抱えて、歩きスマホも危険のもと。

ドル(US$)とリエル(R)の使い分け

買い物にはUS$が使える。高額紙幣、汚い紙幣、少しでも破れた紙幣だと使えないこともあるので気をつけて。

サイズについて

S、M、Lの表示はあっても、日本のサイズ基準とは違う。支払い前に試着をしておこう。店によっては購入後の返品不可なこともある。

VAT(付加価値税)について

付加価値税(VAT)は10%だが、高級ホテルや高級レストランを除き、普通の買い物で適用されることはほとんどない。VATの還元制度はなし。

コピー商品に注意

粗悪品から巧妙なレベルも含めて、山ほど売られている。見るのは楽しくても買わないこと。著作権侵害で税関で没収され、トラブルになることもある。

日本への持ち帰り

おみやげが増えすぎて日本に送りたいときは、郵便局からEMS(国際エクスプレス・メール・サービス)または小包で送るか、DHLなどの国際宅配便を利用しよう。

ショッピングのマナー

まずは挨拶を

店員から挨拶を受けたら、笑顔を返そう。かわいい商品が多くても、写真撮影は断ってから。お礼の言葉(オークン)も忘れずに。

商品を手に取ってみる

陳列商品は自由に手に取ってもOK。色やサイズ違いは、店員さんに尋ねて。興味を示すと積極的な売り込みがあるが、商品や値段に納得してから購入を。買う意志がないときは、交渉しないこと。

おすすめのカンボジアみやげ

地元オリジナルのかわいいモノ雑貨や手作りの一点もの、オーガニック製品に注目。料理好きの人には、香辛料も喜ばれれそう。

籠・ツル製品

植物のツルを編んで作られる籠やバッグはカンボジアの特産品。よそ行きにも使えそう。

伝統織物

黄金の繭から生まれるカンボジアの絹絣は世界でも有数。手織りのクメールシルクは工房や専門店で。

陶器・彫刻

素朴な風合いのクメール陶器は、アンコール時代が起源。カンボジアの土の温かみが感じられる。

胡椒・コーヒー

日本人の支援で復活したクラタ・ペッパーが有名。酸味が少ないカンボジアコーヒーも定番。

石鹸

カンボジアの自然を石鹸につめてお持ち帰り!肌にやさしい伝統的製法による手作り石鹸が大人気。

エシカル雑貨

カンボジアの人、自然、文化を応援するメイド・イン・カンボジアのエシカルな雑貨を選びたい。

サイズ換算表

服(レディス)		服(メンズ)	
日本	USサイズ	日本	USサイズ
5 XS	0-2	—	—
7 S	4	S	34
9 M	6	M	36
11 L	8	L	38
13 LL	10	LL	40
15 3L	12	3L	42

パンツ(レディス)		パンツ(メンズ)	
日本(cm)	USサイズ(inch)	日本(cm)	USサイズ(inch)
58-61	23	68-71	27
61-64	24	71-76	28-29
64-67	25	76-84	30-31
67-70	26-27	84-94	32-33
70-73	28-29	94-104	34-35
73-76	30	—	—

靴	22	22.5	23	23.5	24	24.5	25	25.5	26	26.5	27	27.5	28
日本	22	22.5	23	23.5	24	24.5	25	25.5	26	26.5	27	27.5	28
USサイズ(レディス/メンズ)	5/—	5.5/—	6/—	6.5/5.5	7/6	7.5/6.5	8/7	8.5/7.5	9/8	9.5/8.5	10/9	10.5/9.5	11/10

ハイセンスな伝統工芸品を買うなら！

ワンランク上のクラフトショップ4店

カンボジアの伝統技術を守り、現代のエッセンスを加えた工房は数少ない。
そんななか、本当にカンボジアの良いものを買いたいなら絶対おすすめの店をご紹介。

伝統家屋をそのまま利用した店内

1階の工房では実際の機織りの工程が見学できる

パムアン・スカーフ。2色で織られた玉虫色に輝く綾織りシルク。光によって変化する光沢が美しい

各US$100～

各US$230～

ファブリックストール。しなやかな手ざわりや自然染料で染め上げた色は使えば使うほど味が出る

各US$240～

イカットと呼ばれる絣織りの織物をストールに。さらっとした感触と光によって変わる光沢が贅沢

村の織物工房を訪れたような、ローカルな雰囲気

アンティークな風合いの家具に伝統の織物がよく合う

カンボジアの伝統織物を継承する

クメール伝統織物

IKTT（Innovation of Khmer Traditional Textiles organization）

市街南部 MAP 付録P.8 C-4

故森本喜久男氏がカンボジアの伝統織物の復活のため立ち上げた。製品を作るだけではなく、その製品をめぐる環境保護を郊外の村で実践。ていねいに織り上げられる織物は、伝統工芸の呼び名にふさわしい高品質。

☎063-964-437 交オールド・マーケットから車で3分 所10a The-Lane 営8:00～17:00 休プチュン・バン、クメール正月、水祭り J

上質でユニークなものを
探すならここ
アンコール国立博物館
Angkor National Museum

アンコールワット通り周辺 MAP 付録P.13 D-2

国立博物館内にあり、ショップだけの利用なら入場料は不要。服や陶芸、アートパネルや工芸品などとにかく品数が豊富で質が良いものが多く揃う。

☎063-966-601 交オールド・マーケットから車で8分 所968 Vithei, Charles De Gaulle 営8:30〜18:00(10〜3月は〜18:30) 休無休 ※博物館は入館料US$12
E

各US$12
↑バイヨンなど遺跡の模様が入ったマグカップ

ここでしか手に入らないものも豊富に取り揃える

各US$6
←クメール文字が入ったペンケース

US$29
↑バイヨンのイラストが描かれたカバー付きバインダー手帳

↑広い店内に、見やすいディスプレイ

職人集団が作り上げる
高品質の工芸品
アーティザン・アンコール
Artisans Angkor

オールド・マーケット周辺 MAP 付録P.14 A-3

1990年代より技術の復興と職人の育成を担うため設立。銀細工、織物、木石彫、陶芸、漆塗装など所属職人は800人を超える。ショップ併設の工房では製作過程を見学できる。

☎063-963-330 交オールド・マーケットから徒歩7分 所Chantiers-Ecoles Stung Thmey St. 営7:30〜18:00 休無休 J E

季節や商品ごとに入れ替えられるディスプレイが華やか

小ぶりでかわいい

↓アンコールワットなどカンボジアの風景を透かし模様にしたカップ
各US$5

各US$6〜
↑色鮮やかなレッドピンクとマルチカラーのシルクを使ったポーチ

各US$39〜
←モダンな配色から伝統的なものまで、シルクを使ったクッションカバー

各US$17〜
←カンボジア伝統の絣織物の模様を現代風にアレンジしたミニバッグ

ハイクオリティかつ
ハイセンスな銀製品
ガーデン・オブ・デザイア
Garden of Desire Kandal Village

オールド・マーケット周辺
MAP 付録P.14 C-2

カンボジアの自然をモチーフにしたデザインで、高品質な銀を熟練の職人がアクセサリーへと作り上げる、アクセサリーブランド。自分へのご褒美にピッタリなアクセサリーが揃う。

☎011-424-078 交オールド・マーケットから車で5分 所10 Hap Guan St. 営10:00〜18:00 休無休
E

US$85
↘カンボジア産の天然石を使用したラブラドライトリング

US$355
→蓮の葉をモチーフにした大ぶりのロータスネックレス

→人気のカンダール・ヴィレッジにあり、ガラス張りで入りやすい雰囲気だ

商品のモチーフに合わせたディスプレイがおしゃれ

ローカルなおみやげからエシカルグッズまで何でも揃う!

熱気のオールド・マーケットでおみやげ探し

観光客だけでなく、地元の人も利用するオールド・マーケット周辺は雑貨や服、手作りの品を扱うお店がいっぱいだ。さて何を買いに行こう?

オールド・マーケットって?

現地での呼び名は「プサー・チャー」。地元の人が利用するローカル市場の部分と、観光客向けのおみやげ屋が並ぶ部分が混在しユニークな風景が広がる。

色鮮やかなトロピカルフルーツがいっぱい

ひとつひとつ色が異なる、かわいい象のぬいぐるみ

プチプラでカラフルな雑貨がたくさん並ぶ

さまざまな店が混在する人気のローカルマーケット

オールド・マーケット

Psar Chas (Old Market)

MAP 付録P.14 C-3

規模はそこまで大きくないが、生鮮食料品から食事屋台、雑貨、服や靴にローカルおみやげからおしゃれなショップまで、さまざまなジャンルのお店がひしめき合うローカルマーケットだ。

☎なし 所corner of Pokambor Ave and 2 Thnou St 営7:00~22:00 休無休

周辺のお店もチェック

雰囲気ある路地裏の風景にマッチするかわいい店舗(左)。商品が美しくディスプレイされた宝箱のような店内(右)

手作りでエシカルなものが満載

ベリー・ベリー

very berry

オールド・マーケット周辺 MAP 付録P.14 C-3

オーナー自身がウォーターヒヤシンスで作った籠バッグと、セレクトされたエシカルプロダクトを販売している。ていねいに作られたバッグはほかにはないデザインのものが揃う。

☎077-850-602 交オールド・マーケットから徒歩1分 所Old market Area 営10:00~20:00 休月曜 E 💳

US$24 細部にこだわった籠バッグ

US$38 ウォーターヒヤシンスを組み合わせたコットンハンドルバッグ

US$10 コスメティックポーチ

↑白を基調とした店内に、カラフルなバッグがディスプレイ

↓イタリア人デザイナーによる商品はどれも個性的

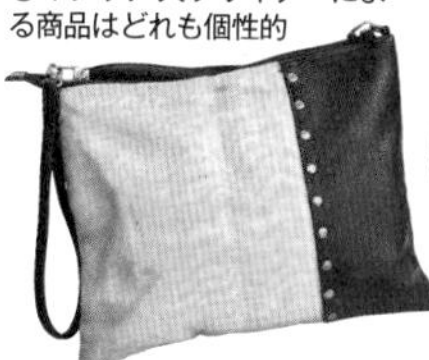

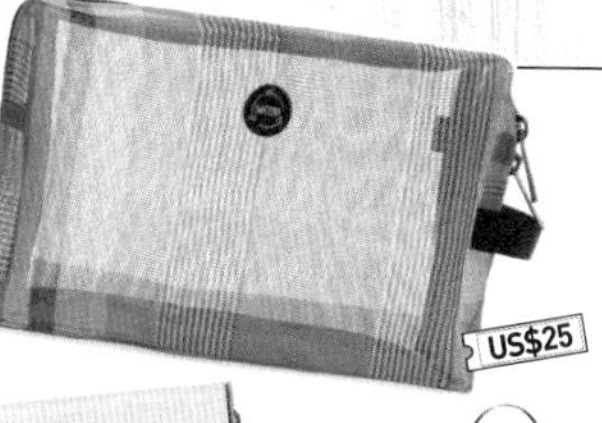

→東南アジアらしいカゴバッグをモチーフにしたポーチ

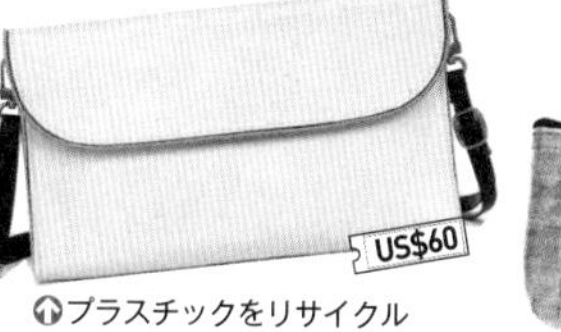

↑プラスチックをリサイクルして作る新素材を使ったIKIコレクションから。シンプルなホワイトのショルダーバッグ

↑旅先で便利な小銭入れ

フレンチデザインのリサイクル鞄ブランド

スマテリア

Smateria

オールド・マーケット周辺 MAP 付録P.14 B-3

使われなくなった工事用の養生シートなどをリサイクルして作るバッグブランド。就業支援も目的にしており、すべてカンボジアの工房で手作りされる。ユニークでポップなカラーが人気の秘訣だ。

☎なし 交オールド・マーケットから徒歩2分 所Alley West 営12:00～22:00 休無休 E

かわいくてエシカルなバナナペーパープロダクト

アシ

Ashi

シヴォタ通り周辺
MAP 付録P.14 B-2

山勢拓弥氏が運営するNGOのアンテナショップ。メインはさまざまな柄のバナナペーパーのミニポーチ。水にも強く、ハンドプリントで印刷される味のある柄が人気だ。

☎087-428-965 交オールド・マーケットから車で3分 所Alley on the West of Night Market Rd. 営7:00～21:00 休無休 E

←賑やかなストリートの近くにあり、アクセスしやすい

←ミニポーチがずらりと並んだディスプレイがかわいい

↑←果物やカンボジアの風景をデザインしたポップな模様がかわいいフラットポーチ(S)

↓→小ぶりなキャンバス地のトートバッグ。い草のタッセルと底の部分がアクセント

→内ポケットも付いてたっぷり収納できるウィークエンドポーチ

→こぢんまりとしたシンプルな店内に商品が並ぶ

各US$45

↑→旅のセカンドバッグにも便利なトラベルサコッシュ

エシカルなだけでないおしゃれなファッション雑貨

サラスースー

SALASUSU

オールド・マーケット周辺
MAP 付録P.14 C-3

前身のNGOかものはしからカンボアジア支部が独立。郊外の工房ですべて手作りされる商品は、支援のためだけではなく買う人にも満足のいくようデザインにも力を入れている。工房の見学も可能だ。

☎093-633-866 交所オールド・マーケット内 営8:00～22:00 休無休
E

かわいい! おしゃれ!? 個性派スーベニア

アンコールグッズ見つけました!

カンボジアで最も有名なアイコンといえば、やはりアンコールワット。
モチーフは同じでも、かわいいプチプラから工芸品まで楽しいおみやげがいっぱい!

コチラで買えます
➡P107 クル・クメール

イセキメグリ アンコールスクエアソープ 1個US$3.30

半透明のベース石鹸に、白い型抜きされた石鹸が閉じ込められたミニソープ。カンボジア産のオーガニック素材を使い、天然の色素を使っているためやさしい色に

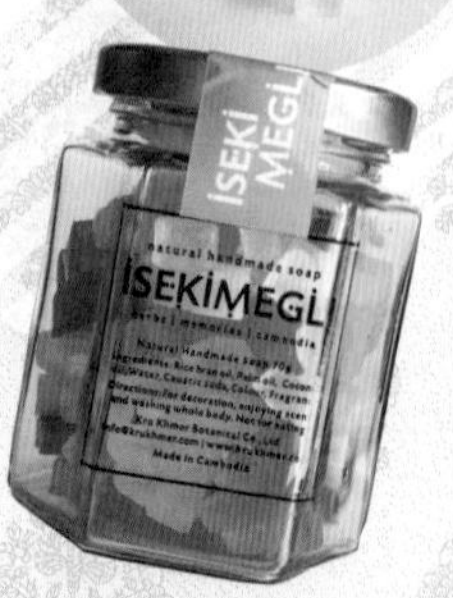

イセキメグリ ミニアンコールソープ
US$5.50

ひとつひとつていねいにアンコールワット形に型抜きしたミニソープ。1つが使い切りサイズで旅行中にも便利。カラフルなカラーでそのまま飾ってもかわいい

コチラで買えます
➡P107 クル・クメール

マグカップ(大)
US$18

アンコールワットのイラストが描かれた、カンボジア限定のマグカップ。ほかにプノンペン、シアヌークビルがあり、おみやげにも人気だ

コチラで買えます➡C

アンコールワット ステッチTシャツ
各US$10

アンコールワットをモチーフにしたシンプルなデザイン

コチラで買えます➡D

A

アンコールみやげの定番
素材にこだわった品が自慢

アンコール・クッキー

Angkor Cookies Shop

アンコールワット通り周辺 MAP 付録P.10 B-3

カンボジア産の素材を使ったフード系みやげが人気のお店。カンボジアみやげの定番のアンコールクッキーはひとつひとつ丁寧に手作りされ、おみやげにピッタリ。

☎012-315-804 交オールド・マーケットから車で11分 所On the main Rd. to Angkor Wat, Charles de Gaulle Blvd. 営6:00～19:30 休無休 J E カード

⬆定番のアンコールクッキー

⬅カシューナッツ(ペッパー)US$7.50～

⬇外にカフェ席もあり、休憩にも◎

B

カンボジアらしさに満ちたグッズがバラエティ豊かに揃う

アメージング・カンボジア

Amagzing Cambodia

アンコールワット通り周辺 MAP 付録P.10 B-3

アンコール・クッキーに併設された、カンボジア産のみやげ物をセレクトして販売する店。豊富な商品からお気に入りを見つけることができる。

☎017-976-660 交オールド・マーケットから車で12分 所Preah Sihanouk Ave. 営6:00～19:30 休無休 J E カード

⬅カンボジア産のみやげ物がたくさん並ぶ

⬅小物のほかクロマーやシャツも販売

アンコールクッキー
US$7.70

サクッとした歯ざわりのよいアンコール形のクッキー。3種のフレーバーが香る

コチラで買えます➡A

カンボジア産の石鹸
US$6.60

アンコールワットの形をしてるので飾って楽しむこともできる

コチラで買えます➡B

アクセサリー雑貨
US$4~

陶器ビーズとメタルがシックなピアスや、刺繍髪ゴムなど手作りカンボジアならではのオリジナルアクセサリーは旅みやげにぴったり

コチラで買えます➡D

キャンドルホルダー
US$10

地元の工房で、ひとつひとつ手作りされるクメール陶器のキャンドルホルダー。火を灯すとアンコールワットの形が浮かび上がり、なんともかわいい

コチラで買えます➡P108

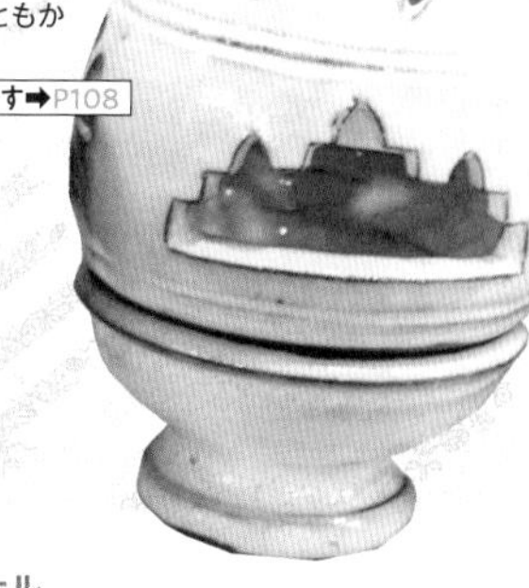

キャンディ
US$4

アンコールワットなどカンボジアらしい柄の金太郎飴、たくさんの絵柄がある

コチラで買えます➡B

C

物販コーナーが必見の
おなじみのカフェ

スターバックス

Starbucks

オールド・マーケット周辺 MAP 付録P.14 B-2

カンボジアの店舗ではカンボジアならではのカップやコーヒーグッズが販売。オールド・マーケット近くにあり、日本人もよく訪れるそう。

☎087-700-265 交オールド・マーケットから徒歩5分 所Street 07, Krong Siem Reap 営6:30〜22:00 休無休 E E

コチラも人気

⬆マグカップや水筒などグッズがたくさん
⬇各国のスターバックス同様、ゆったりした店内

D

かわいらしいオリジナル
アクセサリーが揃う

ハリハラ

Hari Hara

オールド・マーケット周辺 MAP 付録P.14 A-2

日本人女性の手がける店。オリジナルアクセサリーやかわいい雑貨が並び、観光客に人気だ。また、さまざまなブランドとのコラボ商品もある。

☎なし 交オールド・マーケットから徒歩8分 所120 Angkor Night Market St.（ポーラー・アンコール・ナイト・マーケット内） 営17:30〜22:30 休不定休 E

⬆ヨーロッパの街角にあるようなおしゃれな店内

個性的なお店が集まる注目のエリア

センスに差がつく! カンダール・ヴィレッジ

近年、欧米人オーナーの店中心におしゃれなショップやカフェが集まるエリア。ほかとはちょっと違うユニークなおみやげが欲しいときにおすすめ。

カンダール・ヴィレッジって?

在住外国人オーナーの個性的なショップが集まる。数年前より徐々にお店が増え、現在は20店舗以上が集まるおしゃれエリアに。

壁面にずらりとならんだスパイスが壮観

カンボジアハーブを使ったオリジナル商品

クラー

Khla

オールド・マーケット周辺 MAP 付録P.14 C-2

地元のハーブを使い手作りされるお茶やミックススパイスが購入できる。遺跡の名前がついたハーブティーや、カンボジアカレーが作れるスパイスなどおみやげにも自分用にもおすすめだ。

☎017-670-588 交オールド・マーケットから車で4分 所23A Hap Guan St. 営9:00～18:00 休無休 E

オープンなエントランス

各US$14 黒・白・赤のペッパーセット

US$4.50～ カンポットペッパー

US$4.50～ ミル付きペッパー

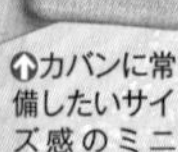

各US$7.7 カバンに常備したいサイズ感のミニポーチ

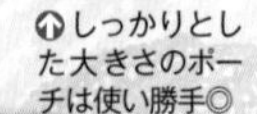

各US$17.5 しっかりとした大きさのポーチは使い勝手◎

一点一点手作りのため、自分に似合うものをじっくり探そう

普段使いの手作り雑貨が豊富
自分に合ったクロマーが見つかる

スラマイ

SRA MAY

オールド・マーケット周辺 MAP 付録P.14 C-2

カンボジア人による手製のクロマー(伝統的な手織り布)を中心とした、かわいらしい雑貨の店。クロマーを使ったポーチから大判のブランケットまで手に入る。

☎011-773-279 交オールド・マーケットから車で4分 所#640 Hap Guan St., Kandal Village 営11:00～18:00 休無休 E

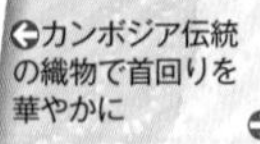

カンボジア伝統の織物で首回りを華やかに 各US$13.2

地方の織り方から地元の織り方まで多彩なクロマー

気軽に立ち寄れる

個性的なセンスが光る
セレクトショップ
ディオ・ギャラリー
Diwo Gallery
オールド・マーケット周辺 MAP 付録P.14 C-2
オーナーが買い付ける仏像や小物は、ちょっと不思議な雰囲気が漂うユニークな品揃え。アンティークも多く、一期一会の出会いにワクワクしながら商品を探そう。
☎092-930-799 交オールド・マーケットから車で4分 所630 Hap Guan St. 営8:00〜20:00 休無休 E 💳

US$5〜
←一点もののミニオブジェ

US$35〜
→それぞれが個性的なオブジェ

↓ネックレスは仏像に掛けてディスプレイ

→大きな看板が目印

たくさんの仏像で不思議な雰囲気！

↑アンティークや現代工芸品の仏像の間に、さまざまな商品がディスプレイされている

こだわりデザインの服とアクセサリーが並ぶ

←所狭しと並べられるおしゃれな商品

上品な服とアクセサリー
ショップ676
Shop 676
オールド・マーケット周辺 MAP 付録P.14 C-2
オーナーがデザインする服とアクセサリー、センスある小物が揃うセレクトショップ。オーナーは日本通で、そこかしこにこけしなど日本の小物がありおもしろい。
☎031-331-4666 交オールド・マーケットから車で4分 所676 Hap Guan St. 営10:00〜19:00 休無休 E

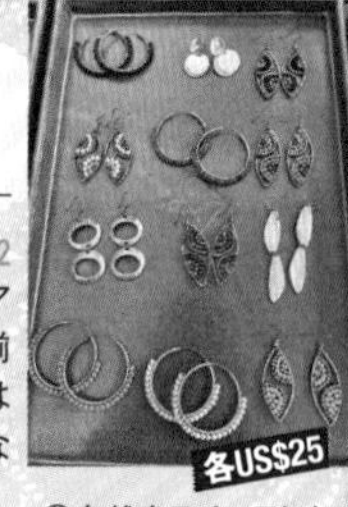
各US$25
↑自然をモチーフにした繊細なデザインのピアスやクメール文様がモチーフのピアス

韓国人革職人が提供する
正統派革製品の店
ディー・エス・ケー
DSK
オールド・マーケット周辺 MAP 付録P.14 C-2
オーナーである韓国人革職人がカンボジアに正統派の革加工技術を伝えたいとオープンした工房兼ショップ。遊び心のあるデザインを確かな技術で製品に。
☎010-719-978 交オールド・マーケットから車で4分 所No.646, Hap Guan St., Mondul 1 営9:00〜18:00 休月曜 E

↓ハンドステッチのていねいな作りの品々が並ぶ

←旅行中にも便利なサングラス掛け

各US$2〜
↑クメール文字を入れてもらえば旅の記念にもなるケーブル止め

店の半分は工房。製作風景が見学でき、その場で文字入れしてもらえる

店内に入ると素敵なアンティークの数々が迎えてくれる

←ビンテージの看板と緑の組み合わせがクールな店構え

薬莢をおしゃれなアクセに
アンドコー
andkow
オールド・マーケット周辺 MAP 付録P.14 C-2
日本人オーナーによる、ヴィンテージの雰囲気漂う店。カンボジアの銃の薬莢から作られたアクセサリーのほか、カンボジア人スタッフが工房で作った革製品も。
☎010-872-254 交オールド・マーケットから車で5分 所717 Mondul 1 Village,Krong 営11:30〜18:30 休日曜、不定休 J E 💳

各US$33
↑銃器から作られたピアスはさまざまなデザインに

↓手作りで作られた革製のカードケース
各US$35

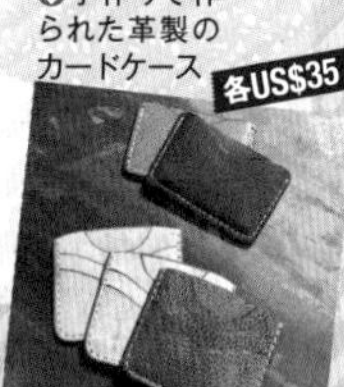

おみやげにもOK、南国ならではの華やかファッション

絶対外さないセレクトショップ3店

おみやげ店の気軽な服から、素材にこだわる
トロピカルファッションまで、さまざまなジャンルのブティックで
普段とは違う旅の装いを思い出に。

キッチュな
ネオンサインが
かわいい

気軽に南国ファッションを
楽しむプチブティック

ブラッシュ・ブティック

Blush Boutique

オールド・マーケット周辺 MAP 付録P.14 B-3

カンボジアでハンドメイドされる服のブティック。普段着にもOKな、シンプルでかわいいデザインのものが揃う。フラミンゴ柄やマンゴー柄などユニークなプリントは旅先の服にもいい。

☎031-234-567 交オールド・マーケットから徒歩2分 所Alley West 営11:00～22:00 休無休 E

白い建物に
アーチ窓が
おしゃれ

Recommend!

➡クラシックで落ち着いた雰囲気。上品な小柄のパターンが全体に施されていている

US$29

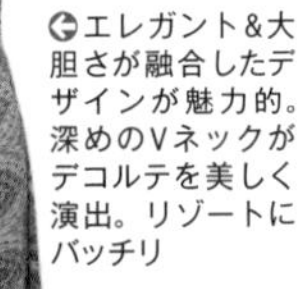

US$25

⬅エレガント＆大胆さが融合したデザインが魅力的。深めのVネックがデコルテを美しく演出。リゾートにバッチリ

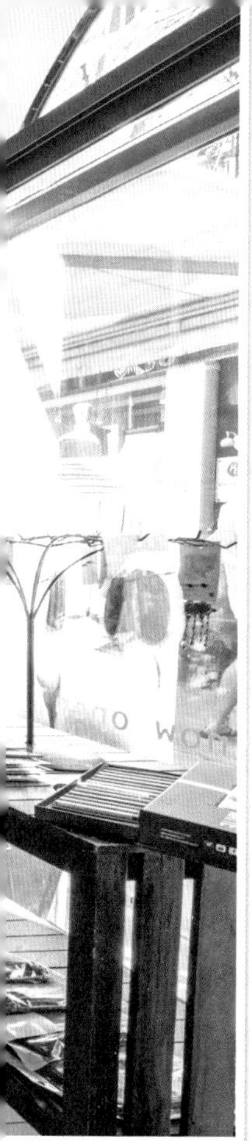

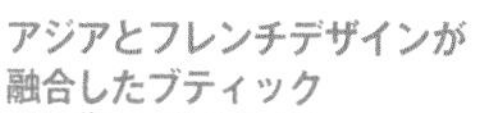

アジアとフレンチデザインが融合したブティック

メゾン・シリバン

Maison Sirivan

オールド・マーケット周辺 MAP 付録P.14 C-2

オーナーデザイナーである、シリバンさんがデザインしカンボジアで製作された服やアクセサリーを販売するブティック。オーナー自らセレクトする雑貨もセンス抜群だ。

☎017-731-107 交オールド・マーケットから車で4分 所10 Hap Guan St. 営9:00～19:00 休無休 E

シンプルなインテリアが、センスの良さを感じさせる

ガラスのファサードにハイセンスなディスプレイが映える

US$5
↑民族調のかわいいネックレス

Recommend!

US$23
←さらりとした着心地のカットソー

↓巾着に発想を得たカラフルなポーチ
各US$28

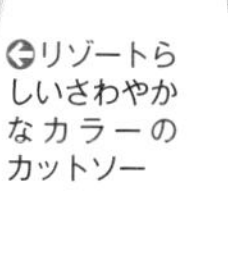

←リゾートらしいさわやかなカラーのカットソー

→生地の切り替えしがユニークなストライプワンピース
US$118

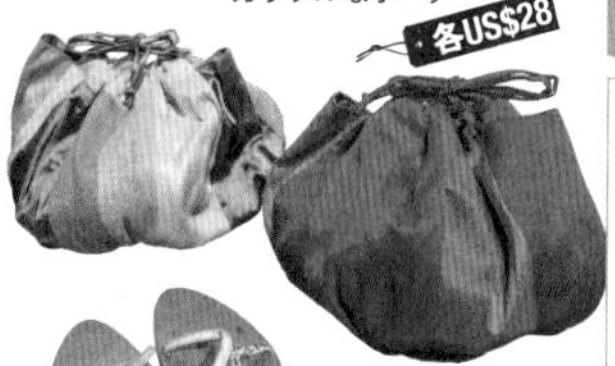

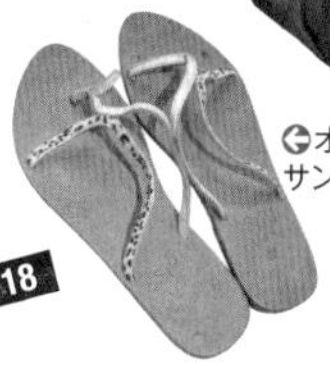

←オリジナルの革サンダル

おみやげ屋もあなどれない

ローカル・ファッション

Local Fashion

オールド・マーケット周辺 MAP 付録P.14 C-3

オールド・マーケット内には、服を扱うおみやげ物屋がたくさん！軽くてシンプルなパンツや色柄豊富なワンピースは、旅のおともにも、ちょっとしたディナーにもぴったり。

☎なし 交オールド・マーケットから徒歩1分 所Old market Area 営8:00頃～22:00頃 休無休 E

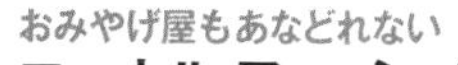

カラーも柄も多種多様！迷っちゃう

→ゆったり履けるサルエルパンツは旅行中にも便利
US$5前後

←シックな色合いの巻きスカートは旅のおともにも

US$3前後

Recommend!

←シンプルなパンツは何枚あっても便利

香り高いオーガニック製品がたくさん!

普段使いにも活躍するスパグッズ4店

ハンドメイドがいっぱい

エシカルなスパプロダクトは、品質も高く贈り物にも自分使いにもぴったり。カンボジア産の素材を使い、質の高い製品が手に入るショップをご紹介。

フランスNGOが提供する
100%オーガニック製品

セントゥール・ダンコール

Senteurs d'Angkor
オールド・マーケット周辺 MAP 付録P.14 C-3

カンボジア産の素材を使い100%天然素材、ケミカルフリーのホームスパ製品を提供。おしゃれなパッケージやプチプラの製品もあり、おみやげに最適。郊外にある工房では製作工程を見学できる。

☎011-686-217 交オールド・マーケットから徒歩1分 所Psar Chas, 2 Thnou St. 営8:00～22:30 休無休
E

ギフトボックス入りソープ

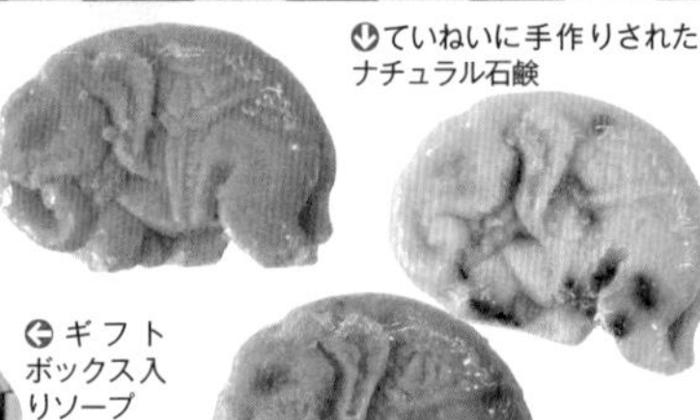

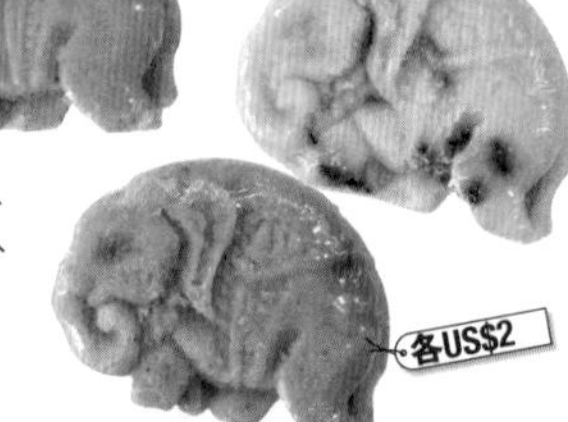

ていねいに手作りされたナチュラル石鹸

各US$2

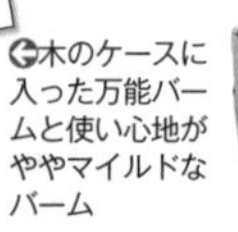

US$7～

木のケースに入った万能バームと使い心地がややマイルドなバーム

象の銀ケースに入ったアロマキャンドルはおみやげに最適

US$15

高品質でかわいいい
スパプロダクトがたくさん

クル・クメール

Kru Khemr Old Market Shop

オールド・マーケット周辺 MAP 付録P.14 C-3

創業者がカンボジアの伝統医療に基づいたチュポンに出会いその効果に感動して起業。カンボジアの天然ハーブを使った製品が人気だ。自宅でチュポンの効果が体験できる入浴剤はおすすめ。

☎092-829-564 交オールド・マーケット内
所Pokambor Ave., Old Market
営10:00～21:30 休無休 J E カード

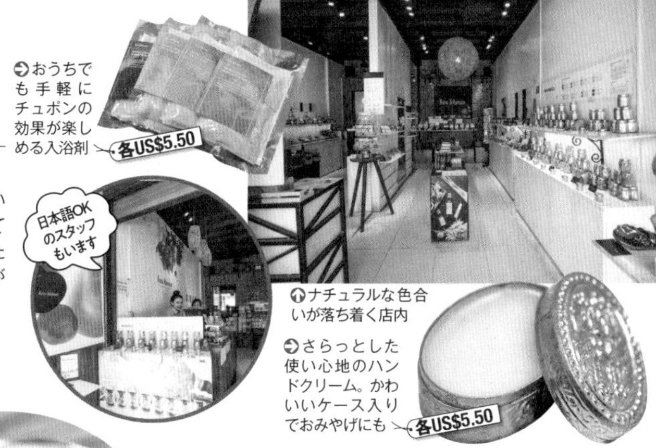

おうちでも手軽にチュポンの効果が楽しめる入浴剤 各US$5.50

日本語OKのスタッフもいます

ナチュラルな色合いが落ち着く店内

さらっとした使い心地のハンドクリーム。かわいいケース入りでおみやげにも 各US$5.50

US$10～

火をつけるとふわりと香るキャンドル

US$18

リードに吸い上げられたオイルが気化し、部屋中にふんわりと香りが広がり、リラックス

US$12.50

持ち運びに便利なロール式のアロマオイル。お気に入りの香りが選べる

アロマ・キャンドルが香る小さな店舗

メイド・イン・カンボジアが揃う
セレクトショップ

サトゥ・コンセプト・ストア

SATU Concept Store

国際6号線西側 MAP 付録P.13 D-4

天然成分100%のフェアトレード・アロマブランド「サアーティ」など、カンボジア産の商品が揃うセレクトショップ。アロマは、キャンドルやロールアロマオイル以外にもやわらかな香りの香水などがある。

☎099-325-067 交オールド・マーケットから車で8分 所Pokambor Ave. 営9:00(日曜 10:00)～19:00 休無休
E

贅沢なギフトボックス

ミニスクラブ、アロマオイル、バスソルト、石鹸にバームが1セットになったギフトセット

カンボジアの自然をテーマにしたアースカラーのインテリア

US$14

ジャスミンライスを使用したフェイススクラブはやさしく角質を取り除いてくれる

在住者に人気のスパプロダクト

ボディア・スパ

Bodia Spa Siem Reap

オールド・マーケット周辺 MAP 付録P.14 C-2

スパも運営する、オーガニックスパプロダクトのブランド。定期的に更新される新製品は旬の話題の材料を使い、品質にも定評がある。カンボジアの自然素材を多用した内装にもこだわっている。

☎063-761-593 交オールド・マーケットから徒歩2分 所New St., A Above U-Care Pharmacy 営10:00～23:00 休無休 E カード

5種類のミニサイズのボディスクラブのギフトセット

雑貨に食器にファッションに、品物のるつぼで宝探し

シェムリアップのローカルマーケット

地元産品が集まるマーケットや、地元民が利用するローカルな市場へ。ローカル生活を垣間見ながら宝探ししてみよう!

見ているだけでもワクワクするお店がずらり

カンボジアならではのものが手に入る

メイド・イン・カンボジア・マーケット

Made in Cambodia Market

オールド・マーケット周辺 MAP 付録P.12 C-4

シェムリアップの中心部にあり、毎日12時から21時までオープン。カンボジア人の雇用創出を支援することを目的としており、手工芸品や地元産の食品など、すべてがカンボジアで作られたものを取り揃えている。

010 345 643 交 オールド・マーケットから車で7分
所 Oum Khun St. 営 12:00～21:00 休 無休

こんなお店があります

自然素材を使ったアクセサリー

ナチュラル

Natural

植物の実から作られるアクセサリーを販売。フリンジのネックレスなど旅行中でも身につけられる。

081-954-733 営 12:00～21:00 休 無休 E

←さまざまな種類のデザインのアクセサリーが見つかる

↑かわいいピアスならその場でつけてもおみやげにも◎

↑マグやグラスも販売

↑所狭しと多種多様なボトルが並ぶ

伝統の酒にフレーバーをプラス

ソンバイ

Sombai

カンボジアの焼酎、スラーソーをベースに地元の果物やスパイスを漬け込んでフレーバーを付けた酒を販売。ボトルもかわいい。

なし 営 12:00～21:00 休 無休 E

子どもたちの感性にふれる

スモール・アート・スクール

Small Art School

カンボジアの子どもたちが無料で美術の勉強を受けられる小さな美術スクールが運営する店舗。生徒たちの作品を購入することができる。

017-223-370 営 12:00～21:00 休 不定休 E

↓自分のお気に入りの作品を見つけられるかも

↑小さいサイズの絵はおみやげにもぴったり

↓時期によって商品が入れ替わる

↑手作りのためひとつとして同じ形がないカップ

ローカル製陶所の直売店

モロドック・セラミック

Morodock Ceramic

伝統模様の入った重厚な器から、普段使いにもいいモダンなデザインのカップなど、小さなお店ながらたくさんの種類の陶器を販売。

☎098-807-949 営12:00～21:00 休無休 E

商品が所狭しとひしめくローカル市場

プサー・ルー

Phsar Leu

国道6号線東側 MAP 付録P.9 F-3

シェムリアップ最大のローカルマーケット。建物の部分の周囲にも屋台や露店が立ち並ぶ。雑貨コーナーやアクセサリーコーナーはおみやげやちょっとした掘り出し物にも出会う確率高し!

☎なし 交オールド・マーケットから車で10分 所National Rd. No.6 営早朝～夕方 休無休

←アクセサリーコーナーは掘り出し物多数!

→ヴィヴィッドカラーなコスメは日本ではお目にかかれない

商品には値札が付いていないからまずは聞いてみてね

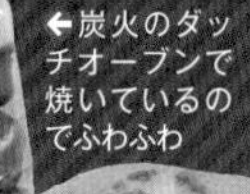

←炭火のダッチオーブンで焼いているのでふわふわ

←クロマーの大判生地はいろいろな用途に使えて便利

食器や布など、何でもあるよ!

↓ビニール製のゴザは色やサイズが豊富

↓レトロな色合いの琺瑯製のお弁当箱

品物豊富でリーズナブルなおみやげ探しに最適

お店選びに迷ったらスーパーへ

大型スーパーは、プチプラも多く揃っているので、旅の強い味方。食品系もスーパーなら種類豊富で安心して買えるのがうれしい。

おみやげも揃う大型スーパー

アンコール・マーケット

Angkor Market

国道6号線西側 MAP 付録P.8 C-2

国道6号線沿いの大型スーパー。大きな駐車場があり観光客も買い物によく訪れる。定番のおみやげのほか、カットフルーツや食品や雑貨など旅のちょっとした買い物にも便利だ。

☎なし 交オールド・マーケットから車で9分 所National Rd. No.6, Sangkat Svay Dangkum 営7:30～22:00 休無休 E 💳

←駐車場が広く、入口付近にはベンチがある

立地、品揃えともに使いやすい

アジア・マーケット

Asia Market

シヴォタ通り周辺 MAP 付録P.14 B-1

シェムリアップの中心地にあり、ローカルスーパーとしてカンボジア人にも外国人にも人気。比較的夜遅くまで開いているので、買い忘れたときに便利。

☎012-543-511 交オールド・マーケットから車で3分 所Sivatha Blvd. 営7:00～24:00 休無休 💳

←簡単なみやげ物なども手に入る

Ⓐタイガーバーム
US$6.25
象のパッケージがカンボジアらしい

Ⓐパームシュガー
US$1.90～
ヤシの葉のケースに入ったパームシュガー

Ⓐお香
US$4.50
アガーウッドのスタイリッシュなお香

Ⓐヌードル
US$0.55～
米粉のヌードルはお手ごろ価格

清潔で広い店内Ⓐ

Ⓐチリソース
US$0.85
カンボジアでもよく食べられるチリソース

ⒶⒷマンゴーの菓子
US$1.50～
マンゴーとチョコレートの相性が抜群

Ⓑドライマンゴー
US$2.70～
大容量でコスパ良し

Ⓑ塩漬け胡椒
US$4.45
生の胡椒を塩に漬けたもの

Ⓑコーヒー
US$2～
カンボジアの地方色豊かなコーヒー

Ⓑカンポットペッパーティー
US$4.80
珍しい胡椒の花を乾燥させたお茶

Ⓑ胡椒
US6.20～
世界一美味といわれるカンボジアの胡椒

Ⓑナッツ
US$4.55
かわいいデザインでおみやげにぴったり

RELAX AND UNWIND

リラックス

贅沢な自分へのご褒美も忘れずに

Contents

お姫様になった気分になれる! 贅沢時間を

贅沢で上質なラグジュアリースパ 5 店

**普段の生活ではなかなか行けないスパも、旅先なら思いきって贅沢に。
どうせなら、めいっぱいラグジュアリーな体験をしてほしい。そんなスパを厳選。**

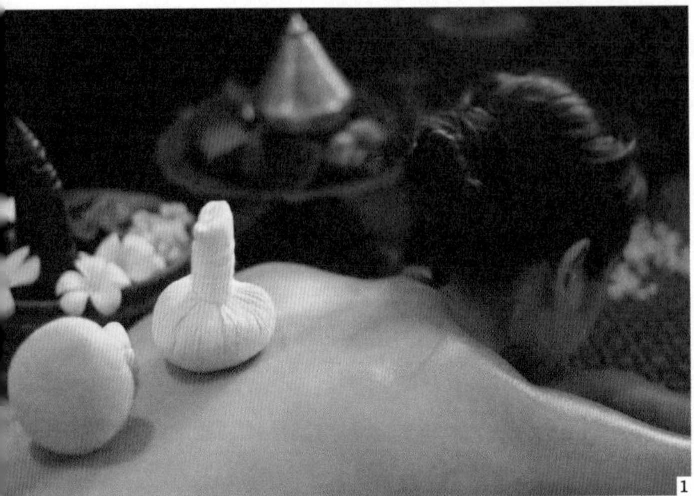

心と体を贅沢に癒やす
上質なスパ体験

クメール・トニックス・スパ・バイ・シンタ・マニ

Khmer Tonics Spa by Shinta Mani Angkor

シヴォタ通り周辺 MAP 付録P.15 D-1

シンタ・マニ内にあるホテルスパ。カンボジア特有のハーブを使ったメニューや、ストレッチを中心とした施術などクメール伝統的なセラピーを受けることができる。

☎087-964-124 交オールド・マーケットから車で8分 所Street14 Krong Siem Reap 営9:00～22:00 休無休

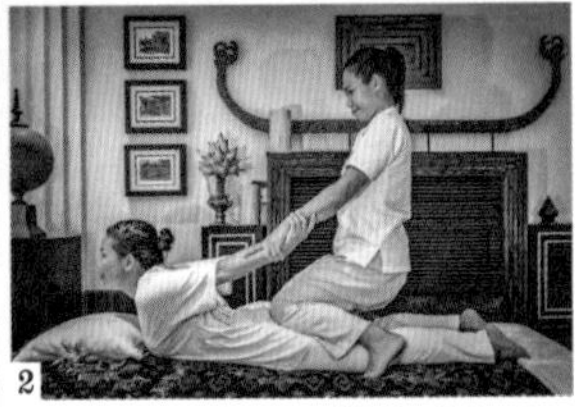

主なMENU
✲シンタ・マニ・シグネチャー
…60分US$45

1.カンボジア特有のハーブを使ったホットコンプレスマッサージ　2.マッサージはたっぷりと　3.白の清潔な空間でゆったりとした施術が受けられる　4.カンボジアのハーブを使ったものも

ラグジュアリーなスパ体験が
できる独立店舗のスパ

ムディタ・スパ

Mudita Spa

ワット・ボー通り周辺 MAP 付録P.13 E-4

ボレイアンコールホテル内の高級スパが、独立店舗としてオープン。フットマッサージ専用シートからバスタブ付きのプライベートラグジュアリールームまで、多彩なメニューが揃う。

☎015-426-222 交オールド・マーケットから車で10分 所Wat Bo Rd. 営10:00～23:00 休無休

主なMENU
✲ムディタ・シグネチャー・トリートメント
…90分US$70
✲ムディタ・スパ・リラックス・ジャーニー
…150分US$50

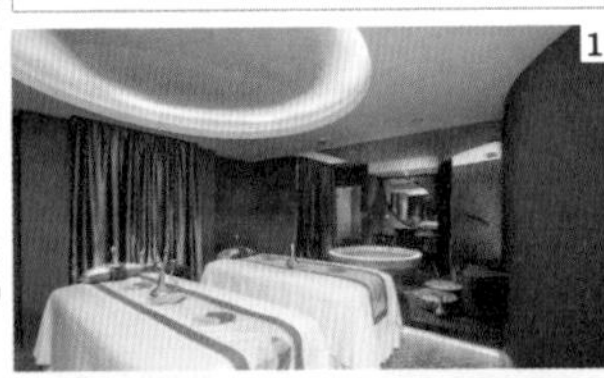

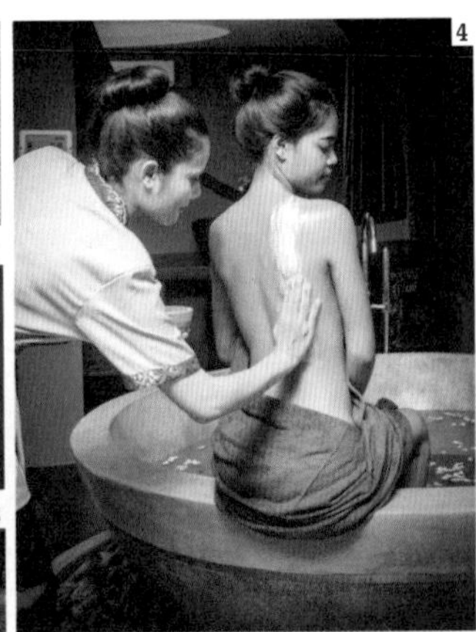

1.シックでゴージャスなインテリアで気分が上がる　2.緑あふれる独立店舗のスパ　3.フットマッサージコーナー。遺跡観光で疲れた足が癒やされる　4.ラグジュアリーなスパ体験は非日常感たっぷり

シェムリアップ指折りの
5ツ星ホテルの高級スパ

ソ・スパ

So Spa

アンコールワット通り周辺 MAP 付録P.10 B-3

受賞歴のある高級スパ。ロクシタンの製品を使いロクシタンの熟練したセラピストのもと、クメールの伝統技法とフランスの最新のウェルネスセラピーを導入した贅沢なスパだ。

☎063-964-600 交 オールド・マーケットから車で11分 所 H ソフィテル・アンコール・プーキートラー・ゴルフ&スパ・リゾート(→P.128)内 営11:00～22:00 休無休

主なMENU
✲おすすめボディマッサージ
…60分US$55
✲おすすめフェイシャルトリートメント
…60分US$70

1.ゆっくりと筋肉に圧をかけるディープティッシュとロミロミを組み合わせたマッサージ 2.3.高級ホテルにふさわしい、ラグジュアリーな空間。特にVIPルームは贅沢だ 4.プールを抜けた奥の庭にひっそりたたずむ別棟のスパ

主なMENU
✲シーズンズ・シグネチャー
…60分US$38

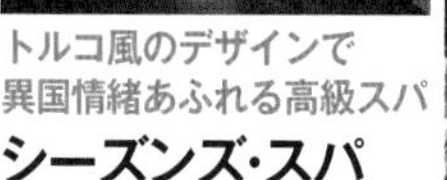

トルコ風のデザインで
異国情緒あふれる高級スパ

シーズンズ・スパ

Seasons Spa

シェムリアップ郊外 MAP 付録P.4 C-4

サライ・リゾート内にあり、空気、火、大地、水の4つのエレメントに基づく四季をテーマにしたスパ。おすすめのオイルマッサージのほか、四季をテーマにしたセットメニューもある。

☎093-962-200 交 オールド・マーケットから車で5分 所 H サライ・リゾート&スパ(→P.129)内 営10:00～21:30 休無休

1.白と黒を基調とした上質な空間 2.店名のとおり、季節のアイコンをあしらったモダンな部屋 3.曲線的なアーチや階段のデザインが、モダンでスタイリッシュ 4.使用される4つのエレメントのハーブ

5ツ星ホテル内の
ラグジュアリースパ

ザ・スパ

The Spa

シヴォタ通り周辺 MAP 付録P.14 B-1

主なMENU
✲シグネチャー
…60分US$70、90分US$95

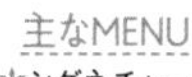

パーク・ハイアット内にある、高級スパ。カップルルームが3室、シングルルームが3室と小規模ながら、緑を取り入れた贅沢でゆったりとした雰囲気はさすが5ツ星ホテル内のスパだ。

☎063-211-234 交 オールド・マーケットから車で4分 所 H パーク・ハイアット(→P.131)内 営11:00～20:00 休無休

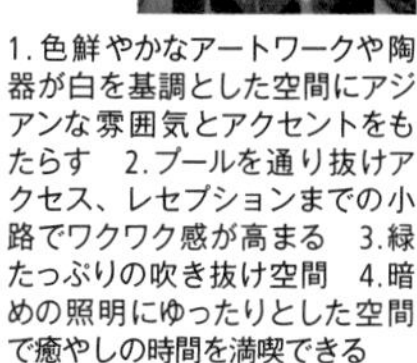

1.色鮮やかなアートワークや陶器が白を基調とした空間にアジアンな雰囲気とアクセントをもたらす 2.プールを通り抜けアクセス、レセプションまでの小路でワクワク感が高まる 3.緑たっぷりの吹き抜け空間 4.暗めの照明にゆったりとした空間で癒やしの時間を満喫できる

こんなにリッチなメニューがリーズナブルに

穏やかな世界を体感! アジアンスパ 9 店

こんなにメニュー豊富でたっぷり施術できて、しかもリーズナブル。伝統療法などお店独自のこだわりもあり、アジアンスパはコスパ最高です。

清潔感にあふれた癒やしの空間

リアル・スパ

Real Spa

ソクサン通り周辺 MAP 付録P.14 B-3

街なかにあるとは思えないくらいのゆったりとした時間を過ごせるスパ。マッサージを受けたあとは一瞬カンボジアにいることを忘れてしまいそう。温かいオイルを使用したオイルマッサージは、疲れた体を癒やすのにぴったり。

☎092-357-530 交オールド・マーケットから車で3分 所Sok San St. 営10:00～23:00 休無休

1.熟練の手技で身体をほぐす 2.青と白を基調とした清潔感のある空間が広がる 3.笑顔のスタッフが出迎えてくれる 4.飲食街を歩いていると緑の外庭がひときわ目を引く素敵な外観

主なMENU

✲ウォーム・オイル・マッサージ …60分US$33

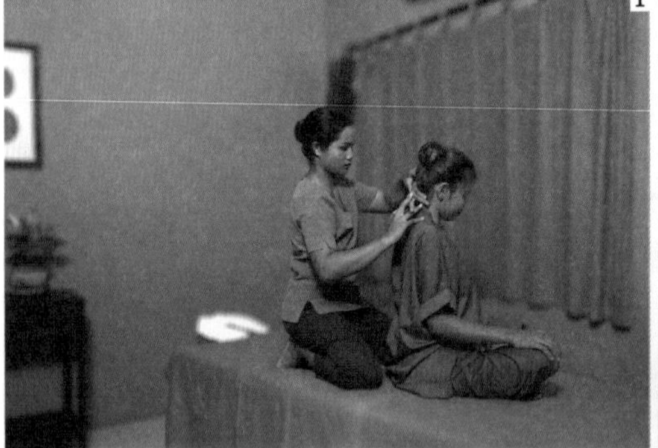

街中の喧騒を忘れさせてくれる落ち着いた空間

デヴァタラ・スパ

Devatara Spa

シヴォタ通り周辺 MAP 付録P.14 A-1

清潔感のあるていねいな接客のスパで、安心してマッサージが受けられる。街の中心地にあるので、遺跡の疲れをすぐに癒やしに行ける。本格的な施術で、熟練セラピストの手技を静かな空間で堪能できる。

☎077-707-137 交オールド・マーケットから車で5分 所Taphul Svay Dungkhom 営10:00～21:30(最終予約) 休無休

主なMENU

✲アロマ・センス・マッサージ …60分US$25

1.疲れた体を癒やすていねいな施術を受けられる 2.入口からグリーンが出迎えてくれる 3.エントランスも落ち着いた空間 4.緑を基調とした落ち着いた空間で施術を受けることができる

1 細やかな配慮が日本品質の
極上ガーデンスパ

スパ・クメール

Spa Khmer

シェムリアップ郊外 MAP 付録P.4 C-4

スパブランドのクル・クメールがプロデュース。日本語を話せるスタッフがいるのは安心。緑あふれる庭にヴィラスタイルのスパルームが6室。すべての部屋にチュポンを備えている。

☎011-345-039 交オールド・マーケットから車で7分 所Salakam Reuk Commune 営10:00～20:00 休水曜

主なMENU

✻デトックススペシャル
…180分US$120

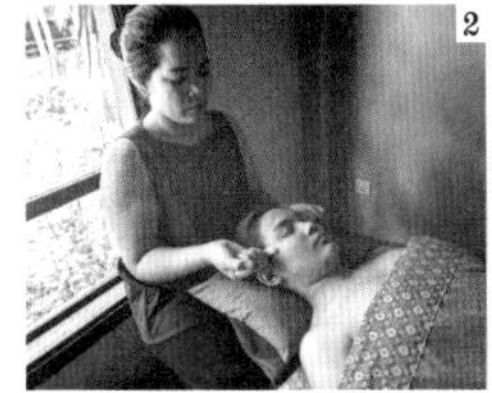

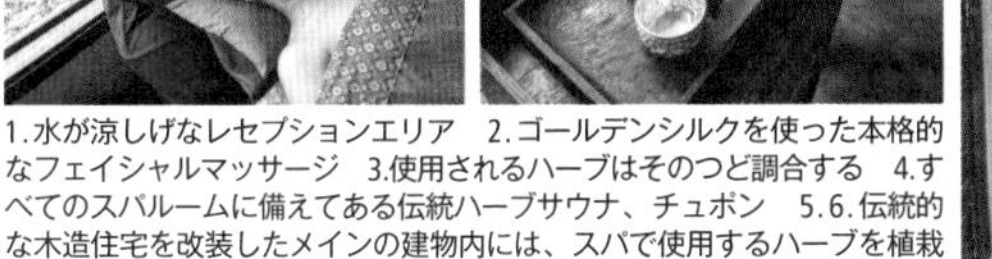

1.水が涼しげなレセプションエリア　2.ゴールデンシルクを使った本格的なフェイシャルマッサージ　3.使用されるハーブはそのつど調合する　4.すべてのスパルームに備えてある伝統ハーブサウナ、チュポン　5.6.伝統的な木造住宅を改装したメインの建物内には、スパで使用するハーブを植栽した庭が広がり、ヴィラタイプのスパルームが点在している

100%オーガニックのスパプロダクト

カヤ・スパ

Kaya Spa

オールド・マーケット周辺 MAP 付録P.14 C-3

100%天然成分のオーガニックのスパ製品が特徴のセントゥール・ダンコールが経営するスパ。使用されるスパプロダクトはセントゥールの製品を中心にセラピストによって調合。

☎061-806-119 交オールド・マーケットから徒歩1分 所Old Market 2, Thnou St. 営12:30～22:30 休無休

主なMENU

✻アロマテラピー・マッサージ
…60分US$24、90分US$33

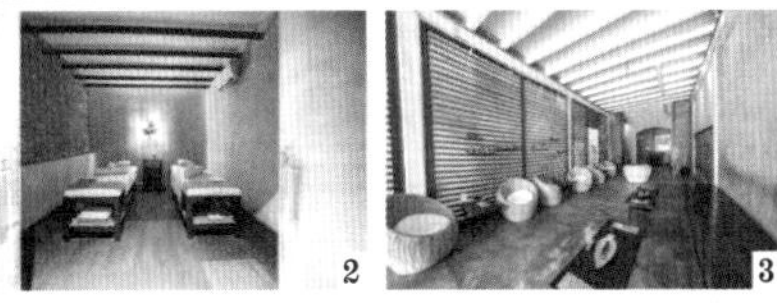

1.コロニアル調の建物を利用したシンプルなインテリア　2.カップルでも施術可能なツインベッドスパルーム　3.アジアンな雰囲気あふれるレセプション　4.アーチのエントランスは、ヨーロッパのような雰囲気

アンティークや絵画などで彩られたおしゃれスパ

ソッカ・スパ・リバーサイド

Sokkhak Spa River Side

オールド・マーケット周辺 MAP 付録P.14 C-2

リバーサイドのおしゃれレストランの系列スパ。館内はセレクトされたアンティークや仏像がシックな雰囲気を醸し出す。バスタブ付きのスイートダブルルームはカップルにもおすすめ。

☎017-597-575 交オールド・マーケットから徒歩6分 所Pokombo Ave., along Siem Reap river side 営10:00〜22:00 休無休

主なMENU

✻アロマテラピーマッサージ…60分US$35／90分US$46

1.デラックスルームはバスタブ付き　2.モダンアートと仏像などのアンティークでシックな雰囲気　3.系列レストランと並び、緑あふれる外観　4.メニューにはカンボジアの生ハーブをふんだんに使用　5.広々としたレセプションでゆっくりメニューを選べる　6.1人でゆっくり施術できるシングルルームもある

おしゃれショッピングエリアの隠れ家スパ

フランジパニ・スパ

Frangipani Spa

オールド・マーケット周辺 MAP 付録P.14 C-2

サプライヤーでもあるオーナーが独自にブレンドしたアロマオイルはそれぞれリラックスなど目的に合わせたもの。2室だけのVIPルームはテラスにアウトサイドシャワー、バスタブも備えている。

☎012-982-062 交オールド・マーケットから車で3分 所24, Hap Guan St. 営11:00〜22:00 休月曜

主なMENU

✻アフターアンコールワット…120分US$63

1.部屋ごとに違うイラストが印象的なかわいいスパルーム　2.ウェルカムドリンクのココナッツ入りバタフライピーティー　3.ちょっと見逃してしまいそうな、さりげない木の扉のエントランス　4.ゆったりしたレセプションエリア　5.6室だけのこぢんまりとしたスパ

1 きれいな店舗にコスパよしの好立地スパ

レモングラス・ガーデン・スパ

Lemongrass Garden Spa

オールド・マーケット周辺 MAP 付録P.14 B-1

バッタンバンにあるカジュアル・スパ。店名にもあるカンボジアを代表するハーブのレモングラスをふんだんに使ったメニューが人気。お茶やトリートメントで使用されるハーブは有機農場で栽培。

☎077-369-025 交オールド・マーケットから車で4分 所Sivatha Blvd. 営10:00～22:00 休無休 E E

2

3

主なMENU
✲フルボディオイルマッサージ
…60分US$16、90分US$22

1.足マッサージなど複数人で受けられる 2.スタッフは皆フレンドリー 3.清潔感がありさわやかな受付 4.シックで落ち着きのあるマッサージルーム

4

1 販売するスパグッズも人気 シックな雰囲気のスパ

ボディア・スパ

Bodia Spa Siem Reap

オールド・マーケット周辺

MAP 付録P.14 C-2

ホテルにも出店しているカンボジアの有名デイスパ。オールド・マーケットエリアに2店舗あり立地は抜群。自社のオーガニック製品を使ったオイルマッサージは心身ともにリラックスできる。

▶P.107

1.オールド・マーケットの路地裏にある、シンプルな外観のスパ

主なMENU
✲ハーブコンプレスマッサージ
…60分US$40、90分US$51、120分US$62

誰にも教えたくなくなる秘密のスパ

ザ・シークレット・エデン・スパ

The Secret EDEN Spa

ソクサン通り周辺 MAP 付録P.8 C-4

在住者も足繁く通う、名前のとおりに少し奥まった道を抜けると現れるスパ。一度入れば、こっそりとお忍びで来たくなる空間が広がっている。

☎016-310-274 交オールド・マーケットから車で10分 所Sok San Rd. 営9:30～22:00 休無休 E E

1

2

主なMENU
✲クメール・マッサージ
…2時間US$18

1.ブティックホテルを改装して作られたスパ 2.アジアン空間でアロママッサージを受ければ癒やしのひととき 3.赤を基調としたエキゾチックな空間でマッサージを受けられる 4.ロビーにもアジアンチックな空間が広がる

4

3

主なMENU
✲トラディッショナル・ボディ・マッサージ…90分US$30.8

視覚を超えた感覚で癒やしを体験
ザ・センス－ブラインド・マッサージ
The senses－blind massage
オールド・マーケット周辺 MAP 付録P.14 C-2

ブラインドマッサージとよばれる、目の見えない方がセラピストとして勤めているマッサージ。店内の照明を暗めにして、視覚が限られた状態を疑似体験できるようにしている。

☎017-337-250 交オールド・マーケットから車で5分 所Central Market St. 営10:00～20:00 休水曜

1.目の見えない方の世界観に合わせた、モノトーンな空間 2.店内はカンボジア語の点字もある 3.スタイリッシュな外観で、ひときわ目立つ

清潔な店内に確かな技術で大満足!
評判のまちスパ3店

ローカルと聞いても、心配ご無用! ここなら安心です! 激安だけど、満足の時間を過ごせること間違いなし。

ハイクオリティなローカルネイル&スパ
MCネイル
MC Nail & Spa(Toe & Foot Treatment)
シヴォタ通り周辺 MAP 付録P.14 A-2

確かな技術で在住者だけでなく旅行者にも人気のお店。ネイルはていねいなケアで長持ちすると評判。

☎099-555-486 交オールド・マーケットから車で5分 所Night Market St. 営9:00～20:00 休月曜

1.広い空間でゆったりと施術を受けられる 2.甘皮処理などのケアも含んでこの値段はお得 3.ゆったりとした施術椅子と天井の高い店内

主なMENU
✲ジェル/シェラックペディキュア…US$13

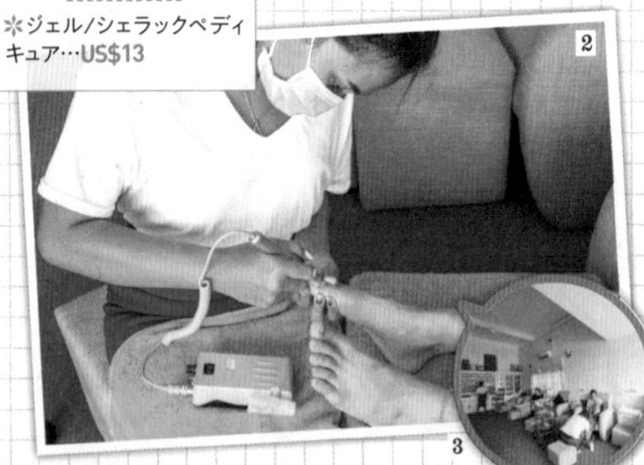

主なMENU
✲ジェルネイル…US$12

ローカルながら、品質確かなプロダクトで人気
ロキシー・ネイル&スパ
Roxy Nail & Spa
オールド・マーケット周辺 MAP 付録P.14 C-2

地元住民や在住外国人に人気のローカル・サロン。ネイルプロダクトは品質確かなアメリカ製のものを使用。リーズナブルな料金ながら、カラーやネイルアートのデザインも豊富だ。

☎096-999-9395 交オールド・マーケットから車で6分 所665, St.6, Mondul 1 営9:00～19:00 休無休

1.スピーディーな施術で忙しいときでも安心 2.好きなカラーを選んで 3.ローカルのヘアサロンやスパが並ぶ一角にある

GETTING AROUND TOWN

歩いて楽しむ シェムリアップ

暮らしをのぞき街の魅力を見つける

Contents

おしゃれなショップから現代寺院まで、さまざまな景色が楽しめる

市内で一番店が集まるショッピングエリア

オールド・マーケット周辺

Old Market

パブ・ストリートに隣接し、観光客が一度は訪れるエリアだが、オールド・マーケット内の生鮮食料品売り場は地元の人も多く利用する。さまざまな店が軒を連ねる。

MAP 付録P.14 C-2〜3

地元客ご用達のローカルマーケットとおしゃれショップが隣接するエリア

現地の呼び名は"プサー・チャー"。地元の人が数多く利用するこのマーケット周辺は、おしゃれカフェやエシカルな雑貨を扱うショップが数多く集まる一方、ローカル屋台や生鮮食料品の朝市など、さまざまな要素がミックスされて存在する面白いエリアでもある。夕方にはオールド・マーケット向かいの川沿いエリアに屋台が立ち並び、川に架けられた橋に派手なライトアップがなされる。

橋を渡った対岸にレストランエリアがある。世界中で展開している「ハードロックカフェ」もあり、ここでしか買えないTシャツやグッズも買える。オールド・マーケット東の街区のヨーロッパの街角のような小路オールド・マーケット・レーンなど新たに注目されるエリアもできつつある。

★徒歩の目安時間

オールド・マーケット
徒歩1分
アリー・ウェスト
徒歩3分
リバーサイド・ナイト・マーケット
徒歩5分
ワット・プレア・プロム・レイス

P.131 パーク・ハイアット Park Hyatt Siem Reap

鮮やかな色彩の現代仏教寺院

ワット・プレア・プロム・レイス

Wat Preah Prom Rath

MAP 付録P.14 C-2

手入れの行き届いた境内では、色鮮やかな壁画で仏教の一生が描かれた一角やきらびやかな涅槃像など、遺跡とはまた違った雰囲気を楽しめる。

☎なし 交オールド・マーケットから徒歩3分
所Pokambor Ave., Old Market 開休料見学自由(お布施をするのが望ましい)

↑遺跡を模したゲートの先では、鮮やかな像で仏の世界を解説している

シヴォタ通り Sivatha Blvd.

ホテルやレストラン、店舗が立ち並ぶ中心部のメインストリート

0 50m

工芸品のお店が多数ある

リバーサイド・ナイト・マーケット

Riverside Night Market

MAP 付録P.14 B-3

朝から夜遅くまで買い物ができるマーケット。銀製品や石・木彫などの工芸品のお店が数多く集まる。マーケット前には屋台も多数。

☎なし 交オールド・マーケットから徒歩1分 所Hospital St., Krong. 営休店舗により異なる

↑シェムリアップ川に沿ってお店が並び、散歩しながら買い物を楽しめる

St. 05
St. Tep Vong
タップ・ヴォン通り
St. Tep Vong
Central Market St.
カンダール・ヴィレッジ P.102
Pokambor Ave.

アリー・ウェスト
Alley West

カラフルな傘がインスタ映えなショッピングストリート。散策＆ショッピングが楽しめる。

川側には緑あふれる遊歩道があり、おしゃれなレストランが点在する

Thnou St.

川沿いの屋台ストリート
Small curt shop in rever side

オールド・マーケット向かいの道は、夕方になると続々と麺料理やBBQの屋台がオープン。

ポーカンボー通り
シェムリアップ川
Achar Sva St.

鮮やかなネオンとライトアップでひときわ華やかな有名なバー・ストリート

The Lane
パブ・ストリート
Pub St. P.92
Alley West
ー・ウェスト
St. 09
★ワット・プレア・プロム・レイス
★ベリー・ベリー
★サラスースー
★クル・クメール
ールド・マーケット P.98

オールド・マーケット・レーン
Old Market Lane

インスタ映えする、ヨーロッパの裏路地のような雰囲気のある路地。

Old Market Bridge
okanbor Ave
Art Market Bridge
ェムリアップ川
★リバーサイド・ナイト・マーケット

センス良い手作りバッグ
ベリー・ベリー
very berry

MAP 付録P.14 C-3

オールド・マーケット近くの雰囲気ある路地裏にある、手作りの籠バッグなど、エシカルなグッズを扱う店。

▶P.98

↑素朴な路地にマッチした店

おしゃれなエシカル製品ならココ
サラスースー
SALASUSU

MAP 付録P.14 C-3

すべての製品をシェムリアップ郊外の工房で製作。デザインにこだわったバッグなどのファッション小物を販売している。

▶P.99

↑エシカルブランドのSALASUSUのアンテナショップ

↑コンパクトな店内に、かわいいデザインのスパ製品がたくさん！

癒やしのオーガニックスパ製品
クル・クメール
Kru Khemr Old Market Shop

MAP 付録P.14 C-3

日本人経営のスパ製品のショップ。コンパクトながらていねいな接客で、おみやげにも自分用にもいいオーガニックのスパ製品が人気の店だ。

▶P.107

歴史的にシェムリアップの中心地エリア

リバーサイド周辺

Riverside

アンコール国立博物館
国道6号線
オールド・マーケット

シェムリアップ川沿いに長く続く遊歩道は、道沿いにおしゃれなお店が点在する。地元の人がウォーキングやエアロビをする姿も見られるまさに地元住民の憩いの場だ。

MAP 付録P.12 C-3〜P.13 D-4

鮮やかな緑の木陰の散歩道沿いにデザインホテルやレストランが集まる

国道6号線とシェムリアップ川が交わるエリアは、王室の別荘のロイヤル・レジデンスや歴史的建築物などが点在する。1つの街区が大きく、ロイヤル・レジデンス周辺にはホテルや大きなショッピングモールがある。郵便局付近からロイヤル・インディペンデンス・ガーデンまでの川沿いは大きな木の並木道となっていて、地元の人や旅行者がゆっくり散歩をする姿が見られる。

11月頃(年によって開催日が変更)の水祭りではこのロイヤル・インディペンデンス・ガーデンからオールド・マーケットまでの川でボートレースが開催され色鮮やかなイルミネーションが川を華やかに彩る。また、FCCアンコールやラッフルズ、アマンサラなど植民地時代の歴史的建築を改装したホテルは一度は泊まってみたい。

★徒歩の目安時間

ヘリテージ・ウオーク
徒歩3分
プリア・アン・チェイ／プリア・アン・チョム
徒歩3分
ロイヤル・インディペンデンス・ガーデン
徒歩4分
サトゥ・コンセプト・ストア

市内最新のショッピングモール

ヘリテージ・ウオーク

The Heritage Walk

MAP 付録P.12 C-3

スターバックスや人気チェーン店レストランなどが入る複合ショッピングモール。カフェも多くあるのでちょっとした休憩にもいい。

☎なし 交オールド・マーケットから車で5分
所National Rd. 6 営休店舗により異なる

↑スターバックスもある、きれいなショッピングモール

カンボジア人に人気の願掛け寺

プリア・アン・チェイ／プリア・アン・チョム

Preah Ang Chek / Preah Ang Chorm

MAP 付録P.13 D-3

兄弟とされる2体の神像を祀る現代寺院。願掛け寺、パワースポットとして有名で、地元の人も多く訪れる。観光客も見学できる。

☎なし 交オールド・マーケットから車で5分
所National Rd. 6 開休料見学自由

↑外国人も参拝可能、ガイドさんに作法を教えてもらえれば安心

歴史的記念と市民の憩いの場

ロイヤル・インディペンデンス・ガーデン

Royal Independence Gardens

MAP 付録P.13 D-3

フランスからの独立を目指した場所であり、その記念に造られた公園。現在は見学する観光客と市民の憩いの場となっている。

☎なし 交オールド・マーケットから車で5分
所National Rd. 6 開休料見学自由

↑公共の公園が少ないシェムリアップで遺跡エリア以外で唯一の広い公園

カンボジアならではのグッズを

サトゥ・コンセプト・ストア

SATU Concept Store

MAP 付録P.13 D-4

ロイヤル・レジデンスの隣にあるセレクトショップ。センスの良いカンボジアのブランドの製品を、バラエティ豊かに取り揃えている。

▶P.107

↓白基調のシンプルな店内に、お酒からおもちゃまで、幅広いグッズが並ぶ

ショッピングや食事など夜に楽しめる場所が豊富なエリア

昼夜で雰囲気が一転するバー・ストリート

ソクサン通り周辺
Sok San Road

もともとは、バーやナイトクラブが軒を連ねるあやしげなエリアだったが、近年、カジュアルなバーやレストランが増えていっそう賑やかになった。旅行者にも人気のエリア。

MAP 付録P.14 A-3〜B-3

コスパ最高なレストラン＆バーにマッサージ、何でもできちゃう

ソクサン通りは、シェムリアップの大通りであるシヴォタ通りを挟んで、パブ・ストリートの反対側に延びる。Xバーの看板とその下に入っているおなじみのセブン・イレブンが入口の目印だ。もともとはナイトクラブが立ち並ぶ夜の街だったが、近年はリーズナブルなレストランやおしゃれなバーのほか、地元の有名グループ「テンプル」のレストランやスーパーマーケットもオープン。ナイト・マーケットやパブ・ストリートに近い立地もあり、旅行者やバックパッカーが集まるエリアになっている。

ソクサン通りとクロスするファンキー・レーンには、ヨーロッパのバックパッカーに人気のホステルやカフェが立ち並ぶが、そのあたりまでが賑やかなエリア。その先はローカル感を増していく。

★徒歩の目安時間

Xバー
徒歩すぐ
ジャングル・バーガー
徒歩4分
テンプル・デザイン・レストラン
徒歩4分
ソッカ・スパ・ソクサン

スーパー併設のおしゃれレストラン

テンプル・デザイン・レストラン
Temple Design Restaurant

MAP 付録P.8 C-4

ゆったりしたソファ席が中心のカジュアルレストラン。料理の種類も多く価格もリーズナブル。レストラン横のスーパーは24時間営業。

☎096-499-0099 交オールド・マーケットから徒歩7分 所Sok San Rd. 営24時間 休無休

↑系列のスーパーと並び、コンテナ風のおしゃれな外観とインテリアが目を引く

ル・ティガー・ドゥ・パッピエ・レシデンス H Le Tigre de Papier Hotel
Sok San Rd.
H ブリス・ヴィラ Bliss Villa

コスパ良のカジュアルスパ

ソッカ・スパ・ソクサン
Sokkhak Spa - Sok San

MAP 付録P.14 B-3

シェムリアップ市内に2店舗あるうちのひとつ。リーズナブルな価格ながら、こだわりのインテリアでラグジュアリーなスパ体験ができる。

☎017-293-932 交オールド・マーケットから徒歩4分 所Sok San Rd. 営10:00〜22:00 休無休

↑エントランスの間口の小ささから想像できないゆったりした空間が広がる

ガッツリ食べたい人におすすめ

ジャングル・バーガー

Jungle Burger

MAP 付録P.14 A-3

老舗バーガーショップ。スモーキーアンドバンデットバーガーUS$6.99など、ビッグサイズで本格的な味わいのバーガーが楽しめる。

☎089-293-400 交オールド・マーケットから徒歩10分 所Sok San Rd. 営7:00～22:30 休無休

↑ポップな店内はスポーツ関係や映画のポスターで埋め尽くされている

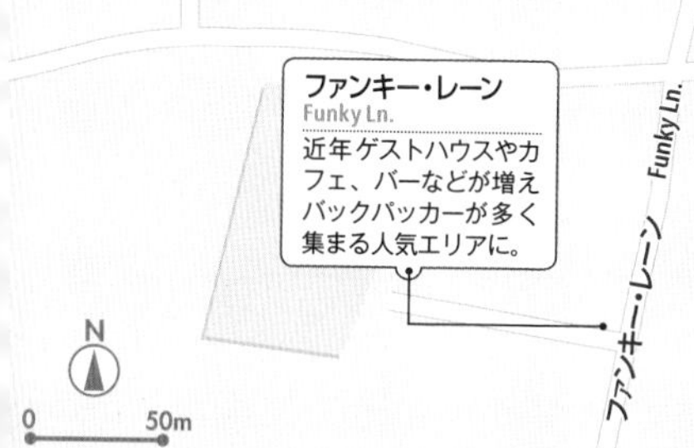

生演奏のライブもあるバー

Xバー

X-Bar

MAP 付録P.14 B-3

在住、観光客の欧米人で賑わうルーフトップバー。パブ・ストリートを見下ろしながらお酒が楽しめるほか、店内ではライブ演奏もある。

☎012-263-271 交オールド・マーケットから徒歩4分 所Sok San Rd. 営17:00～翌4:00 休無休

→「X-Bar」の目立つ看板が目印。階段を上ってルーフトップまで行く

熱帯の長い夜は明るい。ちょっぴりノスタルジックなのもイイ感じ

新旧の芸が文化を紡ぐエンタメの世界

新たな解釈と表現でカンボジア伝統芸能をエンターテインメントにしたショーが人気。伝統とモダンを融合させたオリジナルのパフォーマンスは鑑賞する価値アリだ。

伝統芸能を豊富な料理と一緒に楽しめる

モラコット・アンコール

MORAKOT Angkor

シェムリアップ郊外 MAP 付録P.8 C-2

伝統舞踊アプサラや、伝統武術のボッカタオが大迫力で楽しめるディナーショーレストラン。ビュッフェはカンボジア料理、西洋料理のほかにヴィーガン料理もあり種類も多彩。

☎012-555-075 交オールド・マーケットから車で13分 所Psar dam Krolanh rd E, Krong 営18:30～21:30(ショーは19:30～20:30) 休無休 料ディナービュッフェUS$22～ HP www.facebook.com/morakotangkorSR/

1 ゆっくりとした優雅なアプサラは必見
2 早めに行き料理もたくさん楽しみたい
3 山岳部の農業で行われる動きを民謡に合わせて踊る。男女の動きの違いにも注目

1 芸術性とアクロバティックな動きを組み合わせた独自の演目
2 大技の際は、観客席も一体となって応援し盛り上がる
3 迫力あるファイヤーダンス
4 公演会場前にあるオープンエアのカフェ

芸術性のある演目で大人気のサーカス

カンボジアン・サーカス・ファー

Cambodian Circus Phare

シェムリアップ郊外 MAP 付録P.8 A-4

従来のサーカスとは違うストーリー性と芸術性の高いオリジナルの演目が外国人旅行者に大人気だ。生バンドの演奏を背景にしたサーカスらしいアクロバットの技も見逃せない。

☎092-225-320 交オールド・マーケットから車で12分 所Phare Circus Ring Rd., south of the Intersection, Sok San Rd. 開20:00～ 休無休 料US$18～(5歳未満無料) HP pharecircus.org/ J(一部) E:E

TRANQUIL HOTEL STAY

ホテル

憧れのホテルやリゾートでひと息

Contents

ホテル

とっておきのカンボジアステイを叶えるホテルをチェック

憧れのラグジュアリーホテル7選

有名ホテルが続々と進出しているシェムリアップ。数あるホテルのなかでも空間もホスピタリティも、すべてにおいて大満足できる極上ホテルを厳選。

1

シェムリアップを代表する高級ホテル

ソフィテル・アンコール・プーキートラー・ゴルフ&スパ・リゾート

Sofitel Angkor Phokeethra Golf & Spa Resort

アンコールワット通り周辺 MAP付録P.10 B-3

広大な敷地に大きな池を備える美しい庭園に、フレンチコロニアル調の建物が点在。大きなプールは家族連れにも人気。著名人の利用も多い、洗練された高級リゾートホテル。

☎063-964-600 交オールド・マーケットから車で6分 所Vithei Charles de Gaulle, Khum Svay Dangkum 料ⓈⓉUS$312～ 室数238 HPwww.sofitel-angkor-phokeethra.com

2

1.客室棟に囲まれた広いプール 2.ヨーロッパのデザインにクメールの雰囲気をプラスした豪華なインテリア 3.シックなインテリはさすが高級ホテルの風格 4.広いバスルーム 5.落ち着いたラウンジでくつろぎたい

3

4

5

名門ホテルの格式で贅沢な気分に浸れる

カンボジア屈指の歴史あるホテル

ラッフルズ・グランド・ホテル・ダンコール

Raffles Grand Hotel d'Angkor

アンコールワット通り周辺 MAP 付録P.13 E-2

1932年開業の最も歴史ある高級ホテル。2019年に館内をリニューアル、古き良き時代の雰囲気にモダンさがプラスされてより洗練された空間に生まれ変わった。

☎063-963-888 交オールド・マーケットから車で5分 所1 Vithei Charles de Gaulle Blvd. 料ⓈⓉUS$350～ 室数119 HP www.raffles.com/siem-reap/ E E 💳

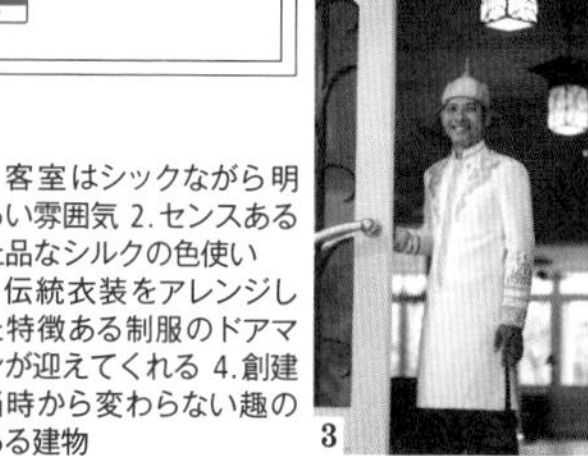

1.客室はシックながら明るい雰囲気 2.センスある上品なシルクの色使い 3.伝統衣装をアレンジした特徴ある制服のドアマンが迎えてくれる 4.創建当時から変わらない趣のある建物

ロケーション抜群の隠れ家ホテルでくつろぐ

エキゾチックなブティックホテル

サライ・リゾート&スパ

Sarai Resort & Spa

シェムリアップ郊外 MAP 付録P.4 C-4

モロッコ風のデザインが特徴のホテル。異国情緒あふれる空気は宿泊客の心を揺すぶるおしゃれな雰囲気だ。部屋はシックな色調で高級感があり、全室バスタブ付き。

☎093-962-200 交オールド・マーケットから車で5分 所SalaKamreuk Rd., Wat Dmnak Village 料ⓈⓉUS$170～ 室数70 HP www.saraireSort.com E E 💳

1.上質なインテリアに窓のデザインなどモロッコ風の雰囲気が際立つ 2.プールを取り囲むように配置された客室棟が異国情緒あふれる風景を生む 3.5.白とブルーが基調のインテリア 4.アジア各国の料理が楽しめるレストラン「ゴート・ツリー」 6.中心部からやや外れているがパブ・ストリートなども歩ける距離

ホテル

カンボジアの文化を上質に再現したホテル

全室スイートタイプのリゾート
アナンタラ・アンコール
Anantara Angkor Resort & Spa
シェムリアップ郊外 MAP 付録P.4 B-3

タイを中心に展開するアナンタラグループの高級リゾート。上質な雰囲気の客室と各部屋に付くバトラーの高いホスピタリティは、さすが高級リゾートらしいサービスだ。

☎063-966-788 交オールド・マーケットから車で12分 所National Rd. No 6, Krous Village 料ⓈⓉUS$280～ 室数39
HP www.anantara.com/en/ang kor-siem-reap/ E

1.全室スイートの客室は、それぞれのタイプで違った表情が楽しめる 2.本格クメール料理が評判のレストラン「CHI」3.客室に囲まれるように配置されたプール

バーやレストラン完備で観光も滞在も楽しめる

1.モダンでシンプルなデザインのバスルーム 2.天井が高く開放感のあるロビー 3.塩水を使ったラグーンプールでリフレッシュ 4.バルコニー付きのモダンな客室でゆっくり休憩 5.カジュアルにかつ快適に滞在できるホテル

高いホスピタリティでカジュアル空間
コートヤード・バイ・マリオット・シェムリアップ・リゾート
Courtyard by Marriott Siem Reap Resort
シェムリアップ郊外 MAP 付録P.5 D-3

2018年オープンの大型リゾート。カジュアルな雰囲気で家族連れにも人気のホテルだ。大きなプールにスパやジム、スカイバーなど施設も充実。

☎063-968-888 交オールド・マーケットから車で14分 所0609 Rd. 6A, Phum Chong-koesou, Khum Slor Kram 料ⓈⓉUS$148～ 室数233
HP www.marriott.com/hotels/travel/repcy-courtyard-siem-reap-resort/ E

世界的ラグジュアリーホテル
パーク・ハイアット

Park Hyatt Siem Reap

シヴォタ通り周辺 MAP 付録P.14 B-1

おしゃれな空間とていねいで上質なサービスに定評がある高級シティリゾート。メインストリートの中央に位置する好立地。また2カ所あるプールは神殿風の特徴的なデザインで多くの宿泊客が利用する。

☎063-211-234 交オールド・マーケットから車で5分 所Sivatha Blvd. 料ⓈⓉUS$345～ 室数104 HP www.hyatt.com/en-US/hotel/cambodia/park-hyatt-siem-reap/repph J E E

セレブリティの気分で滞在を楽しめるホテル

1.スパに面した2階のプール 2.客室はクメール伝統デザインとモダンな家具が融合した落ち着いた空間 3.白亜の建物が目を引く 4.レストランのみ利用するのもおすすめ

エコにも力を入れる高級リゾート
ジャヤ・ハウス・リバーパーク

Jaya House River Park

市街北部 MAP 付録P.11 D-4

リバーサイドの高級隠れ家リゾート。プラスチックフリーに力を入れており無料でリフィルボトルを提供。また専用のトゥクトゥクサービスがついており、滞在中利用できる。

☎063-962-555 交オールド・マーケットから車で10分 所River Rd., Treang Village,Slor Kram Commune 料ⓈⓉUS$390～ 室数36 HP www.jayahouseriverpark siemreap.com E E

ゲストだけが味わえる贅沢な空間でゆったり

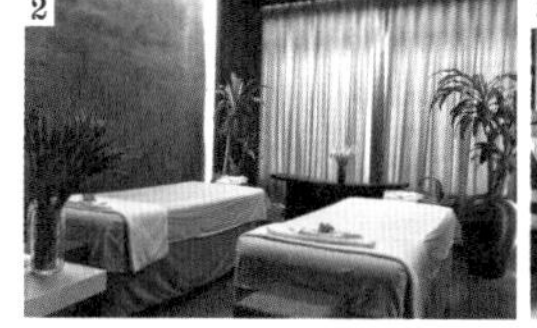

1.木目調のシックなインテリアに、カンボジアのモダンアートが映える 2.館内のスパもエコ仕様で体にやさしい施術 3.広い庭に囲まれたプール 4.緑が生い茂りプライベート感満載の入口

ホテル

プライベート空間でゆったりと、まったりと。

セレブ気分で過ごせるヴィラ3選

自然と遺跡が点在するシェムリアップだから実現できる滞在手段。プライベートプールや南国を感じさせる空間で非日常を味わう。

カンボジアの田園風景をラグジュアリーに体験

郊外に位置するテント・リゾート

ザ・ベージ

The Beige

郊外 MAP 付録P.2 B-2

のどかな田舎道を走ると突然現れる、まさに隠れ家リゾート。全室広々とした庭に立つテント・ヴィラ。プールは森に浮かんでいるような幻想的なインフィニティ・プール。非日常を味わえる贅沢な空間だ。

☎099-297-298 交オールド・マーケットから車で40分 所Svay Chek Rd. Svay Chek Commune, Angkor Thom 料ⓈⓉUS$500〜 室数5 HP the-beige.com

1.114㎡の広々とした部屋にプライベートガーデンが付いたスイートルーム 2.敷地内では象もいて、一緒に過ごせるアクティビティもアレンジ可能 3.たき火の傍らで眺めるシェムリアップ川と森 4.7つあるテントはすべてオーガニック素材製 5.1回1組のみのプライベートスパ。神殿のような空間で贅沢なひとときを 6.自然に溶け込んだ滞在を楽しみたいリゾート 7.森に浮かんでいるかのように造られたプール

ホテル併設で安心のグランピング

1.ナチュラル素材仕上げの清潔なバスルーム 2.エアコンは蚊帳付きのベッドに届くよう環境に配慮 3.全室プライベートプール付き、テラスで朝食をとることもできる 4.二重屋根のテントは、雨の騒音と温度上昇を軽減

エコを意識したグランピングリゾート

テンプレーション

Templation

シェムリアップ郊外 MAP 付録P.4 C-3

テンプレーション・アンコール・リゾートに併設のグランピングリゾート。レストランやスパなどの施設は共用。オリジナルのテントヴィラは、全室プライベートプール付きでテントとは思えない快適さだ。

☎012-233-350 交 オールド・マーケットから車で16分 所 Rte. du petit pont 料 Ⓢ Ⓣ US$140～ 室数 8 HP maads.asia/jungloo E E

伝統住宅を移築したヴィラ

サラ・ロッジ

Sala Lodges

シェムリアップ郊外 MAP 付録P.4 C-4

1950年代以降の古い木造建築を移築し全室違うデザインのヴィラに改装。小さな村を模した敷地内には小さな水田や畑があり、実りの時期には収穫体験もできる。

☎012-705-300 交 オールド・マーケットから車で5分 所 Sala Kamroeuk Village, Salakomrek 料 Ⓢ Ⓣ US$250～ 室数 11 HP www.salalodges.com/ E E

暮らすように滞在できる贅沢な古民家ステイ

1.外観は建造当時の面影そのままに、内部は居心地よくリノベーション 2.夕日を眺めるプールに集う旅人と会話が弾む 3.鬱蒼とした緑の中にたたずむ古民家 4.レセプションとレストラン棟はモダンなつくり 5.小さな村のような敷地内

HOTEL

ホテル

個性あふれるデザインとサービスで愛される

快適便利なカジュアルホテル③選

一流ホテルとは違う、機能的でカジュアルな雰囲気と親しみある空間。観光都市化めまぐるしいシェムリアップで人気のホテルをピックアップ。

5ツ星のサービスに遊び心をちりばめて

個性的なデザインが光る

シンタ・マニ・アンコール

Shinta Mani Angkor

シヴォタ通り周辺 MAP 付録P.15 D-1

モノクロの装飾に特徴的なアートが目を引く高級デザインホテル。ファシリティのデザイン性の高さと、5ツ星の高いホスピタリティで快適な滞在を約束してくれる。

☎063-964-123 交 オールド・マーケットから車で4分 所 Oum Khun St. and St. 14, Shinta Mani St. 料 Ⓢ Ⓣ US$178 室数 115 HP www.shintamani.com/angkor/ Ⓔ 英 カード

1.45㎡ある広々としたデラックスルーム 2.遊び心あふれるインテリアに注目したい 3.プールにはバーも併設、昼の休憩にぴったり 4.シックで重厚ながらデザイン性の高い空間 5.5ツ星ならではの贅沢な館内で癒やしのステイ

1

2

都会のリゾートで楽しむ リバーサイドのくつろぎ

3

アートとエコがテーマのシティリゾート

ツリーライン・アーバン・リゾート

Treeline Urban Resort

ワット・ボー通り周辺 MAP 付録P.15 D-2

室内のインテリアやアメニティをプラスチックフリーにするなどエコにも力を入れる。1階のスペースで定期的に展覧会をするなどアートも重要なテーマのひとつとなっている。

☎063-961-234 交オールド・マーケットから車3分 所Achasva St., Wat Bo Village 料ⓈⓉUS$220～ 室数48 HP www.treelinehotels.com E E

4

5

1.メインレストランではアジア各国の料理が楽しめる 2.室内の目を引くオブジェはすべて自然素材でできている 3.シンプルながらアメニティ完備の快適な客室 4.プールサイドでくつろぐひとときも旅の贅沢 5.木の幹に潜む仏顔

1

2

3

女子心をくすぐるホテル

ザ・アヴィアリー・ホテル

The Aviary Hotel

シヴォタ通り周辺 MAP 付録P.14 B-1

「鳥のとまり木」がテーマで、そこかしこに羽根やシルエットなど鳥のモチーフを配置。2020年には増築され、屋上プール&バーやレストランが開業した。

☎063-767-876 交オールド・マーケットから車4分 所Sangkat Svaydangkum 9, Preah Sangreach, Tep Vong St. 料ⓈⓉUS$150～ 室数43 HP theaviaryhotel.com E J E

フレンドリーな雰囲気の アクセス便利なホテル

4

1.館内のどこを切り取っても絵になる 2.部屋ごとに違ったデザインのインテリア 3.屋外で気持ちのよいティータイム、星空の下でカクテルも 4.客室はそこかしこにあるハイセンスなオブジェや鳥のモチーフに彩られたおしゃれな空間

都会に近い田園リゾートで特別体験

ハイクラスのままで楽しみたい田園リゾートは世界中のセレブたちも大注目の隠れ家！

1

カンボジアの田園風景を再現した高級リゾート

プーム・バイタン

Phum Baitang Zannier

シェムリアップ郊外 MAP 付録P.4 B-3

クメール語で「緑の村」という意味のリゾート。一面に水田やレモングラスの畑が広がり、ここならではの風景が楽しめる。客室はすべてヴィラタイプで、伝統的な木造のインテリアに最新の設備を備えている。レストランではリゾート内の農場で収穫された野菜や米を中心にオーガニックにこだわった食事を提供。敷地内にはバーやスパもあるので、一日ゆったりとした時間を過ごせる。

☎063-961-111 交オールド・マーケットから車で15分 所Neelka Way 料ⓈⓉUS$312〜 室数45 HP www.zannierhotels.com/phum-baitang/en/ Ⓔ Ⓔ

2

3

4

5

1.雨季の田植え前の水田では、空を映す美しい風景が広がる　2.贅沢な木造と最新設備の客室　3.プールに浸かりつつ夕日観賞　4.レストランのコンセプトは「市場」、新鮮な地元の食材をふんだんに使った料理が提供される　5.夜な夜なゲストが集うシガーバー

ALLURING ADVENTURES

ワンデートリップ

多彩な笑顔に会いに行く小旅行

Contents

ONE DAY TRIP FROM SIEM REAP

フランスの面影と歴史遺産が共存する街 プノンペン

Phnom Penh

重厚な歴史と近代が交差する首都。フランス統治時代の面影を残したエキゾチックなアジアを堪能しよう。

シェムリアップから🚌で5時間

シアヌーク通りの中心に建つ独立記念塔

MAP 付録P.16

遺跡や寺院と近代都市のコントラスト おしゃれな洋館も見どころのひとつ

カンボジアの首都、政治経済の中心プノンペンは現在、近代都市へと急速に開発が進んでいる。13世紀にはクメール王朝やアンコール王朝の繁栄を経て、海外との交易が盛んな街として発展した。19世紀にカンボジアを統治していたフランスによって開発され「東洋のパリ」と讃えられる美しい街に。商業の中心として栄えたあと、20世紀に暗黒の時代を迎え街は荒廃してしまう。

現在の生まれ変わりつつあるプノンペンは王朝時代の歴史的遺産と寺院、統治時代のフレンチ・コロニアル調の洋館がたたずむエネルギッシュな街だ。

シェムリアップからのアクセス

飛行機

シェムリアップ・アンコール国際空港からプノンペンへは1日2～3便。飛行時間は45分ほど。

バス

所要時間5～6時間。エアコン・トイレ付きのコーチと呼ばれる大型バスの場合、安全運転のため走行時間が少し長め。

観光案内所 ☎なし 所 Preah Sisowath Quay 営 8:00～17:00 休 日曜

リバーサイドにはおしゃれなレストランやバーが並ぶ

街の中心はここ!

おみやげ探しは迷わずここ

セントラル・マーケット

Central Market

MAP 付録P.17 D-2

1930年代建設のアール・デコ調建物内にあるマーケット。観光客向けのみやげ物だけでなく産地直送野菜や果物などの生活必需品も。地元の人たち御用達のいかにも東南アジアらしい喧騒あふれるマーケットは観光スポットとしても楽しめる。

交 プノンペン国際空港から車で40分
営 7:00～17:00(店舗により異なる)
休 無休

↑フランス統治時代の面影が残るドーム

東南アジアの至宝がそこかしこに！

激動の歴史が醸す美しき王都

重厚な歴史的遺産や寺院、博物館から、観る価値100%の民族舞踊まで。美しい街並みにいにしえの栄華を感じる。

⇧エメラルド仏の寺院には寺の名前の由来となった仏像が鎮座

現在も王の公務と居住の場

王宮

Royal Palace

MAP 付録P.19 D-2

1866年にノロダム王が首都をウドンからプノンペンに遷都し建造。当初は木造の宮殿だったが1919年シソワット王の時代に再建され現在の姿に。敷地中央にある即位殿の高い尖塔と黄色い屋根が印象的。

☎なし 交セントラル・マーケットから車で10分 所Samdach Sothearos Blvd. 開8:00～17:00(チケット購入は～15:45) 休無休 料US$10(シルバー・パゴダと共通)

⇧国王の演説時には演壇として使われるチャンチャーヤ館

⇧ナポレオン3世の妃から贈られた館はフランスから移送

⇧お札に描かれている即位殿。三角の窓は天につながるとされる

王宮の隣に建つ豪華な寺院

シルバー・パゴダ

Silver Pagoda

MAP 付録P.19 E-2

王室の仏教行事が行われる寺。別名「銀寺」と呼ばれ床には銀のタイル5329枚が使用されている。寺院中央にはシソワット王が納めた25カラットダイヤモンド2086個をちりばめた王冠や黄金の仏像がある。

☎なし 交セントラル・マーケットから車で10分 所Samdach Sothearos Blvd. 開8:00～17:00(チケット購入は～15:45) 休無休 料US$10(王宮と共通)

⇧天を突くように建つスラマリット王のストゥーパ(仏塔)は遺骨を納めた供養塔

豊かな文化と歴史を展示する

プノンペン国立博物館

Phnom Penh National Museum

MAP 付録P.19 D-1

クメール様式の赤い外観が特徴的な国立博物館の設立は1920年。国内で出土した彫像をはじめクメール芸術の数々をじっくり鑑賞できる。19～20世紀に使用されていた芸術性の高いカンボジアならではの日用品の展示が興味深い。

☎023-211-753 交セントラル・マーケットから車で10分 所St.13 開8:00～17:00(最終受付16:30) 休無休 料US$10

⇨6～15世紀の彫刻や青銅器、陶磁器などが展示されている

黄金に輝く仏像に圧倒される

ワット・プノン

Wat Phnom

MAP 付録P.17 E-1

丘(プノン)の寺という名の小高い丘に建つ寺。1372年ペン夫人が寺を建立しプノンペンの名の由来とされている。現在の寺は1926年に再建されたもの。

☎なし 交セントラル・マーケットから車で5分 所St. 96 Norodom Blvd. 開7:00～18:00 休無休 料US$1

⇩内部にたくさんの仏像が並ぶワット・プノン

負の遺産を伝える貴重な博物館

トゥール・スレン虐殺博物館

Tuolsleng Genocide Museum

MAP 付録P.17 D-4

政治犯収容所のS21(トゥール・スレン)を虐殺博物館として一般公開している。館内には処刑の様子を描いた絵や拷問具などが展示されている。

☎077-252-121 交セントラル・マーケットから車で20分 所St. 113 開8:00～17:00 休無休 料US$5(オーディオガイド別途US$3)

⇩悲惨な歴史を物語る処刑された人々の写真

おいしいシーフードを
手軽にお得に楽しむ

ニサット・シーフード・ハウス

Nesat Seafood House

MAP 付録P.17 D-4

西洋人が多く住むエリア、ロシアン・マーケット近くの路地裏にあるシーフードレストラン。カンポット州の海鮮を使用した、カンボジアの海鮮料理が楽しめる。

☎092-645-675 交セントラル・マーケットから車で20分 所St.446 営11:00～16:00 17:00～23:00 休日曜 E E

US$7.25～ アオガニのカンポット胡椒炒め
Stir Fried Blue Shell Crab with Kampot Pepper Corn
新鮮なカニと香り高いカンポット特産の胡椒がクセになる味

ハマグリとバジルのタマリンドソース炒め US$3.75

洗練された店構えで在住外国人にも人気が高い

カジュアルでおしゃれなインテリア

味で選ぶか雰囲気重視か、両方でも!

美食家も納得グルメ&バー7店

世界が注目する洗練されたレストランやバーも続々登場、
おしゃれに進化中のプノンペンのグルメ・シーンを先取りしよう!

US $5.125 新鮮なエビと揚げガーリック
Fresh Shrimp with Spicy Sour and Fried Garlrc
少しピリ辛でビールにピッタリなおつまみメニュー

ローカルに大人気のBBQレストラン

ソヴァナ 2・レストラン

Sovanna II Restaurant

MAP 付録P.19 E-4

夕方になると仕事終わりのビジネスパーソンやローカルの家族連れで常に賑わう超人気店。メニューも豊富で本場のクメール料理を味わいたい、現地の雰囲気を感じたい人にはぴったりだ。

☎012-840-055 交セントラル・マーケットから車で15分 所No.7, St.21, Sangkat Tonle Basac 営16:00～23:00 休無休 E E

これぞ、カンボジアのローカルレストラン

深夜まで営業の食事がおいしいワイン・バー

ブション・ワイン・バー

Bouchon Wine Bar

MAP 付録P.18 B-1

豊富な品揃えのワインが自慢。食事メニューも多彩でおいしいフレンチが楽しめる。1920年代の建物を改装した店内はレトロモダン。いつもワイン片手に食事と会話を楽しむ人で賑わう。

☎077-881-103 交セントラル・マーケットから徒歩10分 所No.82, St. 174 営16:00～24:00 休無休 E E

1920年代のコロニアル建築を改装したレトロモダンなインテリア

US$12 ビーフシチュー
Beef Bourguignon
とろけるようなやわらかさのビーフシチュー

中央の大きなキニンの木を中心としたオープンテラスの空間

US$3.75
スコッチエッグ
Kumbhaka Egg
お酒と一緒に食べたい黄身がとろけるスコッチエッグ

古い木造伝統家屋を中心とした複合コミュニティ

キニン

Kinin
MAP 付録P.17 D-4

大きなキニンの木を中心にレストラン、アートギャラリーなどが集まる複合スペースだ。レストランは伝統的なクメール料理にインスパイアされたフュージョン・クメールを提供。

☎077-400-846 交セントラル・マーケットから車で20分 所St.123, Corner St.446 営11:00～23:30 休月曜 E 英 ✆

↑立ち寄りやすいセンスのいい自然なお店

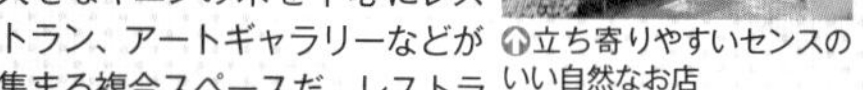

➡US$25のコースから、ラムチョップ

在住者に愛される老舗インド料理店

シヴァ・シャクティ

Shiva Shakti Restaurant
MAP 付録P.17 D-1

プノンペンのインド料理店ではいちばん歴史が長い、老舗高級インド料理店。近年、中心部にある高層ビル内のモールへ移転した。テラス席の雰囲気も素敵。

☎012-813-817 交セントラル・マーケットから徒歩5分 所Exchange Square 3F, Preah Moha Ksatreiyani Kossamak Ave. 営11:00～23:00 休無休 E 英 ✆ 💳

↑モダンな空間で快適に食事が楽しめる
↓ホウレン草をふんだんに使ったカレー

US$6.25

バターチキンカレー
Butter Chicken Curry
やさしい味付けで日本人の口に合う定番カレーメニュー
US$7.25

王族からも愛されていた老舗のインド料理店

プノンペンの

夜景を楽しむルーフトップ・バーが自慢の店へ繰り出す

街を一望する絶景夜景とカクテル

ソラ

SORA
MAP 付録P.17 D-1

ヴァタナック・キャピトル・タワー37階にある高級ホテルのスカイバー。テラス席からの眺めは、周りを遮るものがなく最高の景色が堪能できる。サービス、雰囲気ともにトップクオリティ。

☎023-936-860 交セントラル・マーケットから徒歩10分 所Vattanac Capital Tower, 66 Monivong Boulevard 営17:00～24:00 休無休 E 英 💳

↑屋外テラスのほか個室もあり空間も多彩

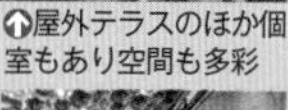

↑室内のバーカウンターで過ごすのもいい
↓特産の胡椒がアクセントのウイスキーサワー

オフィスビルの屋上にある定番スカイバー

エクリプス・スカイ・バー&レストラン

Eclipse Sky Bar & Restaurant
MAP 付録P.18 A-3

モニボン通りにある人気スカイバー＆レストラン。現地の若者も多く訪れ、定番のデートスポットになっている。夜景が見える席は予約がおすすめ。

☎012-825-171 交セントラル・マーケットから車で10分 所445, Monivong Blvd., Phnom Penh Tower 22F 営17:00～翌2:00 休無休 E 英 ✆ 💳

↑バーの名前が入った人気No.1のパッション・エクリプスUS$6
↓プノンペンの夜空を一望するスカイバー

かわいいものだらけで目移り必至

持ち帰りたくなる！愛しのショップ3店

伝統工芸と外国人のタッチでモダンなデザインを融合させたショップが増加中。素敵でかわいい商品は見ているだけでも心躍る。

シルクブランドが運営する体験ショップ

シルク・ハウス
SILK HOUSE

MAP 付録P.17 D-4

シルクの染物体験も可能なシルクショップ。カンボジア人オーナーのバナリーさんが手がけるシルクを使ったデザイン性の高い商品は、グッドデザイン賞を受賞した経歴もあり。

☎010-556-226 交 セントラル・マーケットから車で40分 所 No.116, St.371, Mean Chey 営9:00～17:00 休無休 E 💳

↑シルクをあしらったおしゃれなジュエリー各US$15

↑品質の良いカンボジアシルクは長持ちする

←国際舞台で評価される起業家

→店内は広く、ゆっくり買い物ができる

↓体験型観光施設シルクハウスで伝統を紹介

↑天井が高く広々とした空間に商品が並ぶ

アート好き必見のストア

クラフト
-Khraft - Cambodia's Arts & Crafts Store

MAP 付録P.17 D-4

ギフトや工芸品、ゲーム、教材、文具、工作、パーティー用品など、品揃えが豊富で、行くたびに新しいアイテムがありわくわくする。想像力をかき立てる商品がたくさん揃っており、創作活動や遊びにぴったり。

☎016-205-303 交 セントラル・マーケットから車で20分 所 60 St 440 営 8:00-19:00 休無休 E 💳

↑まるで倉庫のような雰囲気の店構え

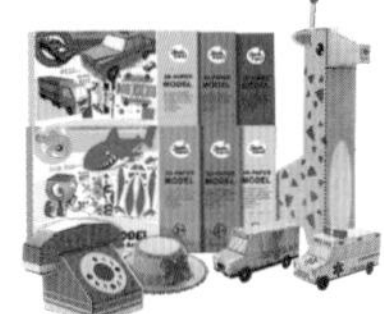

↑3Dペーパーモデル US$7.00。紙を使い立体モデルを作成できる

カンボジアのいいものを集めた日本人経営のショップ

アメージング・カンボジア
AMAZING CAMBODIA

MAP 付録P.17 F-4

イオンモール内にあるみやげ物店。カンボジア各地の手作りのいいものを集め、商品と作り手に寄り添う店だ。オリジナルの商品開発もしており、ここだけの一品が購入できる。

☎069-439-879 交セントラル・マーケットから車で15分 所 AEON MALL Phnom Penh, 1st FL 営9:00～22:00 休無休 J E 💳

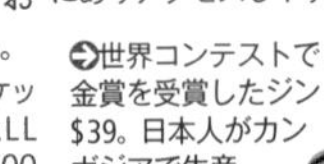

↑イオンモール内にありアクセスしやすい

→世界コンテストで金賞を受賞したジン$39。日本人がカンボジアで生産

↓便利なイオンモールもついでに見てまわろう！

↑カシューナッツチョコ$6.90（Sサイズ）

旅の記念にちょっぴり贅沢な気分

自分へのご褒美スパ3店

旅の疲れを癒やしつつ、日頃の自分に「お疲れさま」を。プチ贅沢体験で心も体もリフレッシュしてキレイになろう!

本格的なアジアンハーブで優雅にリフレッシュ

ソマスパ

Somaspa

MAP 付録P.17 E-2

カンボジア産のオーガニックハーブを使った本格派のクメールマッサージで有名。素敵なおもてなしと確かな技術で受けられるワンランク上のスパ。

☎010-323-424 交セントラル・マーケットから車で9分 所11 preah hassakan street No144 営10:00～23:00 休無休

主なMENU

✲クメール・ハーブ・コンプレスマッサージ …**60分US$25～**

✲トロピカル・マンゴーボディー・スクラブ …**55分US$25**

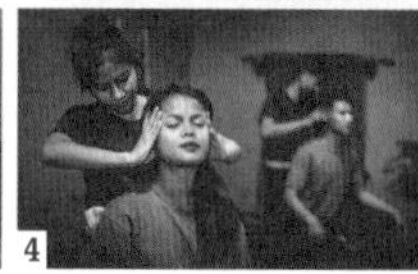

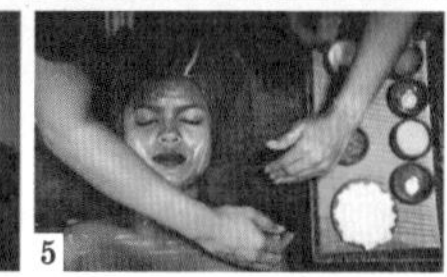

1. オリエンタルな雰囲気の空間で過ごせるマッサージを受けられる　2.地方で育てられたオーガニックのハーブ　3.体を温めながらのコンプレスマッサージ　4.ストレッチマッサージはペアでの施術も受けられる　5.カンボジア産の天然ハーブをベースの製品を使用したフェイシャルマッサージ

イル・ヴリール

il Brille Cambodia Facial SALON for Ladies

MAP 付録P.2 C-3

女性限定のフェイシャルエステサロン。旅の疲れ、市内観光で付いた砂ぼこりなどの汚れをきれいに落としてくれる。希望の時間に施術を受けたい人は、事前予約がおすすめ。

☎081-749-769 交セントラル・マーケットから車で30分 所EURP1-BLB-SLE91 of PH Euro Park Phum Boeung Chhouk 営9:00～18:00 休無休 J J E E

主なMENU

✲オゾン毛穴洗浄…**30分US$15**

✲オゾン美白+フェイシャルマッサージコース …**60分US$30**

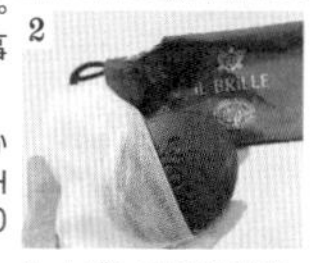

1.オゾンで毛穴洗浄。キメの整った肌へ
2.カンボジアで展開している日本ブランド
3.清潔感のある部屋で日本品質の施術を

ボディア・スパ

Bodia spa

MAP 付録P.17 E-4

シェムリアップでも人気の有名スパが中心地の人気の地区ボンケンコンにオープン。ジャグジーなどの豪華なVIPルーム1室を含めた13部屋は、カップルでも一人利用でもくつろげる作り。

☎023－210－215 交セントラル・マーケットから車で16分 所#40 Eo,st 63 Conner st 352 営10:00～22:00 休無休

主なMENU

✲ハーバル・コンプレスマッサージ …**60分US$40～**

✲フルーツ・ビタミン・フェイシャル …**60分US$36**

1.落ち着いた色合いでゆったり過ごせる
2.店内に入るとがらっと雰囲気が変わる
3.活気ある街なかにできた新店舗。緑の外観が印象的

エレガントな滞在を叶えるinプノンペン

高級ホテルが続々オープンしているプノンペン、選択肢が増えてますます便利に！

都会の喧騒から離れた隠れ家ホテルのステイ

1

過去と現在がコラボレーションしたデザインホテル
ペン・ハウス&ジャングル・アディション
Penh House & Jungle Addition

MAP 付録P.19 D-2

古い邸宅をリノベーションした棟と同敷地に新築した棟の2つのタイプが寄り添うブティックホテル。双方行き来できるため、雰囲気の違いを楽しむのもいい。

☎092-369-074 交セントラル・マーケットから車で30分 所No.34A, St. 240 料ⓈⓉUS$73～ 室数52 HP www.penhhouse.asia

1.宿泊客限定のプライベートなプールでくつろぐ　2.3.レトロな邸宅を改装したジャングル・アディションと、モダンな建物に南国リゾートの雰囲気をプラスしたペン・ハウス、2つの雰囲気が楽しめる　4.広い敷地に緑あふれる庭園が広がる

2

3 4

高層階に滞在の贅沢
極上サービスでも有名

1.ヴァタナック・キャピタル・タワーの高層階を占有する
2.高級アーバンリゾートらしいシックなインテリア
3.太陽光が差し込むプールは33階

有名ホテルグループの高級シティリゾート

ローズウッド・プノンペン

Rosewood Phnom Penh

MAP 付録P.17 D-1

高層ビルの上階にある有名ホテルグループのカンボジア初のホテルだ。施設が充実し、居心地のよい客室からはプノンペンの夜景が一望できる。

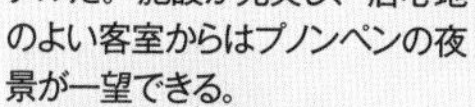

☎023-936-888 交セントラル・マーケットから徒歩10分 所Vattanac Capital Tower, Preah Moha Ksatreiyani Kossamak Ave. 106 料ⓈⓉUS$270～ 室数175 HPwww.rosewoodhotels.com/en/phnom-penh

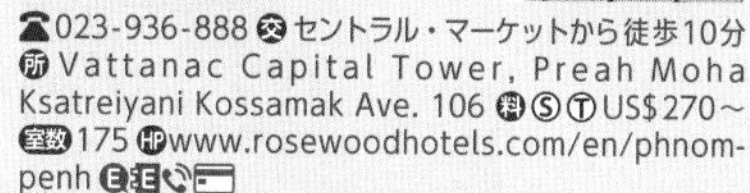

緑あふれるシティリゾート

バイトン・ホテル&リゾート

Baitong Hotel & Resort

MAP 付録P.18 B-4

緑に囲まれたホテル中央に位置するプール「フォレスト・プール」が特徴的。スタイリッシュな内観で、自然と現代的なデザインが融合した近代的なホテルだ。併設のレストランもおすすめ。

☎023-223-838 交セントラル・マーケットから車で10分 所No.10, St.282, BKK1 料ⓈⓉUS$78～ 室数106 HPwww.baitonghotel.asia

旅人たちのオアシス
最新設備で快適ステイ

1.白いシンプルな建物に自然の緑が映える　2.緑をコンセプトに、白い空間の随所に自然を取り入れたインテリア　3.写真映えするプールは館内に2カ所　4.スタイリッシュな客室はバルコニー付きも

シハヌークエリアの海を満喫する

シハヌークヴィルの離島リゾート

白い砂浜に紺碧の海。シハヌークヴィルエリアにはまだ知られていない離島リゾートがある。時間を忘れてゆったり過ごそう。

シェムリアップから✈で45分

まるで天国のような美しい海を渡る島を結ぶ橋

手つかずの自然と碧く静かな海で至福の時間を楽しむリゾート

ひと昔前は西洋人バックパッカーに穴場ビーチエリアとして人気だったシハヌークヴィルだが、近年中国の進出とともに開発が進みカジノシティへと変貌。そんななか、新たにシハヌークヴィル沖の離島に個性的な隠れ家ビーチリゾートが続々とオープン。美しい海に島の手つかずの自然に、静かなプライベートビーチ。それぞれ、特徴を持ったリゾートでラグジュアリーな滞在を楽しむなら、断然離島リゾートがおすすめだ。

シェムリアップからのアクセス

飛行機

シェムリアップ・アンコール国際空港からシハヌークヴィル空港までは直行便で45分。

バス

数社のバス会社が運行。シェムリアップからシハヌーク中心部まで車は11時間30分ほど、観光バスは13時間30分。

船

シハヌークヴィル港から各島へフェリーが運行している。

ラグジュアリーな離島エコリゾート

ソンサー・プライベート・アイランド

Song Saa Private Island

MAP 付録P.2 B-4

周辺の環境を守りながら運営するエコ・リゾートでもあり、かつここだけでしか体験できないひとときを約束してくれるラグジュアリー・リゾートだ。スパやレストランなど島に点在する施設で贅沢な時間を過ごせる。ヴィラは全部で6タイプ。アクティビティも充実しており、海を望むヨガや仏教セレモニー、島のトレッキング・ツアーなど多彩なプログラムも魅力だ。

☎092-609-488 交シハヌークヴィル国際空港から専用桟橋まで車で45分※送迎あり 所Song Saa, Koh Rong Archipelago, Near Sihanoukville 料Ⓢ US$1290～ 室数24 HP www.songsaa-privateisland.com E

↑ヴィラはすべてオーシャンビュー

↑リゾート感あふれるインテリア

→海とひと続きのように見えるプライベートプール付きヴィラ

島ひとつまるごと秘境リゾート

シックスセンス・クロバイ・アイランド

Six Senses Krabey Island

MAP 付録P.2 B-4

レアム国立公園沖のクロバイ島にある、新しいリゾート。施設全体が島の地形に溶け込むよう設計されており、自然と一体になったリゾートライフが満喫できる。また、周囲の美しい海を楽しむシュノーケリングやシーカヤックなどアクティビティもあり、活動的に過ごすのもいい。

☎069-944-888 交シハヌークヴィル国際空港から専用桟橋まで車で15分※送迎あり
所Koh Krabey Island, Ream Commune, Preah Sihanouk Province
料US$1075～ 室数40
HP www.sixsenses.com/
E

↑リビングやテラスもあるヴィラタイプの部屋は広々として、モダンでシンプルなデザイン

目の前の海を独り占めできるインフィニティプール

↑手つかずの自然が残る島がまるごとひとつのリゾートに

↑天井の魚のオブジェが印象的なバー

↑緑あふれるプールヴィラや海辺のプライベートディナーなど特別な体験を

カンボジア第2の都 モダンな素顔に接近 バッタンバン

Battambang

米の産地としても有名。郊外には著名遺跡もあり、週末の旅にぴったり!

©iStock.com/Tanes Ngamsom

MAP 付録P.2 B-2

ほかの都市と少し違う素顔を持つ街

植民地時代の面影を残したフレンチ・コロニアル様式の建物が魅力のカンボジア第2の都市は訪問者を癒やしてくれる街。観光スポットは市内中心に集中し、どこからでもアクセス可能。週末を過ごすためのユニークな滞在を提供してくれるだろう。

シェムリアップからのアクセス

シェムリアップからバスで3時間30分ほど(Capitol Tourなどがバスの定期便を運行)

カンボジアの素朴な「素顔」が見られる街

ぶらり歩きがやはり楽しい

気取らない地元の人たちの心温まるおもてなしを受けながら、好奇心が満たされるプチ旅行を楽しめる。

ポルポト政権犠牲者を祀る山

プノン・サンポー

Phnom Sampov

MAP 付録P.2 B-2

小高い山の頂上には寺院があり、山沿いの崖にある洞窟にはポルポト政権による犠牲者の遺骨が祀られている。

交 市内中心部から車で30分 所 57 off NH, Battambang 開休料 見学自由

↑ゆるやかな石段を上り風光明媚な山頂を目指す

バッタンバン滞在はここがイチオシ

メゾン・ワット・コー・ブティック

Maison Wat Kor Boutique

MAP 付録P.2 B-2

各種観光スポットへのアクセスが簡単で、滞在中には癒やしの空間を提供してくれるデザイナーズ・ホテル。冷暖房完備、ミニバー、無料Wi-Fi、プール、無料駐車場が利用できて便利。

☎017-555377 交 市内中心部から車で10分 所 No.221, St 800, Wat Kor Village

↑癒やしのひとときを客室で

←自然あふれる熱帯雨林に囲まれトロピカルな滞在を演出する

黒い棒を持ち正座した武将の像

ドンボーン・クロニュン像

Donborn chrono

MAP 付録P.2 B-2

バッタンバンのシンボル的存在、戦いの最中に投げてなくしてしまった黒い棒にまつわる伝説がある武将。

交 市内中心部から車で5分 所 314 Cnr National Route 5 & St., Battambang 開休料 見学自由

→街の入口で出迎える8mの像

数えきれないコウモリが集まる

コウモリ洞窟

Bat Cave

MAP 付録P.2 B-2

夕方17時30分頃に訪れれば何百万匹ものコウモリたちが洞窟から絶え間なく飛び立つ様子が見学できる。

交 市内中心部から車で30分 所 57 off NH, Battambang 開休料 見学自由

↓飛び立つコウモリたちの姿は圧巻もの

TRAVEL INFORMATION

旅の基本情報

旅の準備

パスポート(旅券)

旅行の予定が決まったら、まずはパスポートを取得。各都道府県、または市区町村のパスポート申請窓口で取得の申請をする。すでに取得している場合も有効期限をチェック、カンボジア入国時にはパスポートの有効残存期間が入国日から最低6カ月残っている必要がある。

ビザ(査証)

日本国籍パスポート保持者のカンボジア入国には、滞在日数や目的にかかわらずビザが必要。ビザは入国時に空港で取得することも可能。➔P.150

海外旅行保険

海外で病気や事故に遭うと、思わぬ費用がかかってしまうもの。携行品の破損なども保証されるため、必ず加入しておきたい。保険会社や旅行会社の窓口やインターネットで加入できるほか、簡易なものであれば出国直前でも空港にある自動販売機などで加入できる、クレジットカードに付帯しているものもあるので、出発前に補償範囲を確認しておきたい。

日本からカンボジアへの電話のかけ方

001(国際電話の識別番号) → 855(カンボジアの国番号) → 相手の電話番号 ※最初の0は不要

荷物チェックリスト

◎	パスポート	
◎	パスポートのコピー (パスポートと別の場所に保管)	
◎	現金	
◎	クレジットカード	
◎	航空券(またはeチケット)	
◎	ホテルの予約確認書	
◎	海外旅行保険証	
◎	ガイドブック	
◎	スマートフォン/充電器	
	洗面用具(歯磨き・歯ブラシ)	
	常備薬・虫よけ	
	化粧品・日焼け止め	
	着替え用の衣類・下着	
	冷房対策用の上着	
	水着	
	ビーチサンダル	
	雨具・折りたたみ傘	
	帽子・日傘	
	サングラス	
	ウェットティッシュ	
	カメラ(充電器/電池/メモリーカード)	
△	スリッパ	
△	アイマスク・耳栓	
△	エア枕	
△	筆記具	

◎必要なもの △機内で便利なもの

入国・出国はあわてずスマートに手続きしたい!

成田空港からプノンペンまでは7時間のフライト。スムーズな出入国に備えておさらいしておこう。

カンボジア入国

① 入国審査

空港到着後、自身のスマートフォンか、用意されているタブレット端末を使用して、e-アライバルを行う。空港でビザを取得する人はビザ・カウンターへ。パスポート情報、入出国情報、税関申告書を申請するとQRコードが出るのでその画面をスクリーンショットする。ビザを取得するなら先にビザ・カウンターへ。入国審査官にパスポートとQRコードを見せて入国する。e-アライバルは入国前7日以内に申請する必要がある。アプリのダウンロードが必要なので、事前に準備しておこう。日本語表示も可。※2025年1月(予定)までは従来の入国カードも併用

② 税関手続き

荷物を受け取ったら、正面の税関でe-アライバルのQRコードを見せる。シェムリアップ・アンコール国際空港は、税関カウンターを抜けるとすぐ空港の外に出る。

カンボジア入国時の免税範囲 ※アルコール類、たばこは18歳以上のみ

アルコール類	2ℓ
たばこ	紙巻きたばこ200本、葉巻きたばこ100本または刻みたばこ400g ※電子たばこは使用が禁止されているが、没収はされていない。タイ乗り継ぎの場合持ち込み禁止国なので注意
物品	電子機器やコンピューターなど
香水	350mℓ
現金	US$1万相当額以上の外貨
持ち込み禁止	弾薬、麻薬、銃器、爆発物などの軍装備品

出発前に確認しておきたい!

ビザの取得方法について

カンボジア入国にはビザが必要。観光ビザと商業目的の業務ビザなどがあり、それぞれ入国から1カ月(30日)滞在可能。シングルビザは有効期間内の1回限り入国、発行日より3カ月有効。数次ビザは有効期間中(最長3年)何回でも入国できるが、1回の滞在は1カ月(30日)まで。

① 現地の空港ロビーで直接取得

e-アライバルで「有効なビザまたは滞在許可証」を選択しておく。入国審査会場手前のビザカウンターで、現金US$30、パスポートを提出する。ハイシーズン中は込み合うことがあるので、時間に余裕をもったほうがいい。US$を持っていない場合、空港で両替もできるが事前に用意したい。

② e-Visa(電子ビザ)で事前に取得

e-Visaはカンボジアの外務国際協力省が直接発行する観光ビザ。オンラインで事前取得できる。便利な反面、申請途中のトラブルもある。取得料金はUS$36と割高。問題が発生した場合、カンボジアにある外務省へ国際電話で問い合わせなければならない。トラブルの際、大使館では問い合わせなどの対応ができないので注意が必要だ。

③ 日本の大使館や領事館で事前に取得

在日本カンボジア大使館や一部領事館のビザ窓口で事前に申請。空港で行列の心配もなく安心して出発できる。事前にWebサイトからのダウンロードまたは窓口にある申請書にその場で記入し、パスポートの原本と写真(35mm×45mm)、現金の申請料(5400円ほど。為替レートにより変更があるのでそのつど確認)を添えて窓口に提出する。代理人申請と受け取りも可能だが、最低2回は足を運ばなければならない。郵送での申請は1週間の余裕が必要。

Webチェックイン

搭乗手続きや座席指定を事前にWebサイトで済ませておくことで、空港で荷物を預けるだけで大幅に時間を短縮することができる。一般的に出発時刻の24時間前からチェックインが可能。パッケージツアーでも利用できるが、一部対象外となるものもあるため、その際は空港カウンターでの手続きとなる。

機内への持ち込み制限

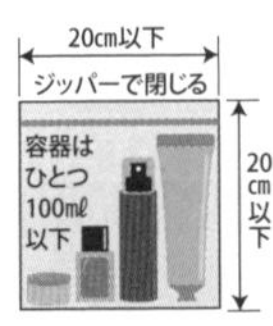

◉液体物　100mℓ(3.4oz)を超える容器に入った液体物はすべて持ち込めない。100mℓ以下の容器に小分けにしたうえで、ジッパー付きの透明なプラスチック製袋に入れる。免税店で購入したものは100mℓを超えても持ち込み可能だが、乗り継ぎの際に没収されることがある。
◉刃物　ナイフやカッターなどの刃物は、形や大きさを問わずすべて持ち込むことができない。
◉電池・バッテリー　100Whを超え160Wh以下のリチウムを含む電池は2個まで。100Wh以下や本体内蔵のものは制限はない。160Whを超えるものは持ち込み不可。
◉ライター　小型かつ携帯型のものを1個まで。

ロストバゲージしたら

万が一預けた手荷物が出てこなかったり、破損していた場合には荷物引換証(クレーム・タグ)を持って受取会場にあるカウンターに出向く。次の旅程やホテルの連絡先などを所定の用紙に記入するか係員に伝えて、届けてもらうなどの処置依頼を交渉しよう。

e-アライバルの入力

スマートフォンアプリ、またはWebサイトで申請する。現地到着7日前から申請可能。基本的に日本語で進められるので、しっかり読んで手続きしよう。

スマートフォンアプリでの入力 ※画面内容は変更する可能性があります

① 入力開始
外国人訪問者の「個別提出」、続いて「新しいプロファイルを追加」を選択。

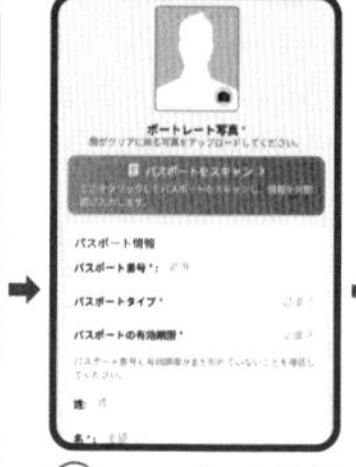
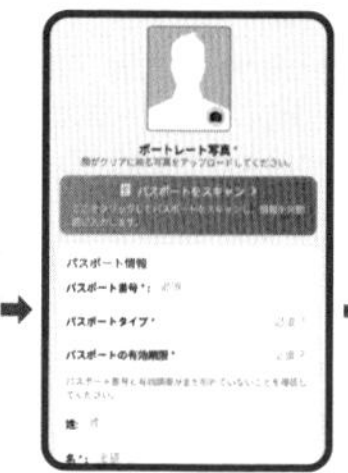

② パスポート情報
顔写真、パスポート情報、連絡先などを入力。

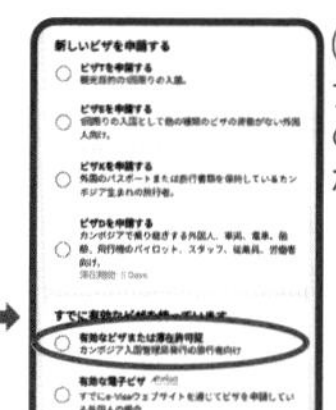

③ ビザの種類
アライバルビザを申請する予定の場合は、下部の「有効なビザまたは滞在許可証」を選択。

④ 滞在情報
現地到着日・出発日、旅行目的、滞在予定のホテル名、出発する都市などを入力する。

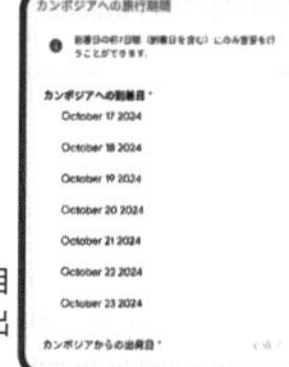

⑤ 健康申告
上から黄熱の予防接種を受けたか、発熱・咳などの症状があるか、14日以内に中東・アフリカ・南米を訪問したか。

⑥ 税関申告
P150の免税範囲を確認し、申告が必要なものがあれば入力する。

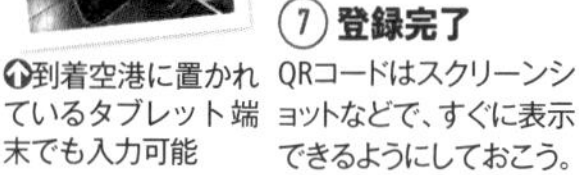

⑦ 登録完了
QRコードはスクリーンショットなどで、すぐに表示できるようにしておこう。

◉カンボジアe-アライバル
https://www.arrival.gov.kh
アプリダウンロードもこちらから

⬆到着空港に置かれているタブレット端末でも入力可能

カンボジア出国

① 空港へ向かう

プノンペン国際空港は市内から近いが、朝晩は渋滞があるのでホテルで所要時間の目安を聞こう。シェムリアップ・アンコール国際空港は45～70分ほどかかる。空港には出発の2時間前までに着きたい。

② チェックイン

Webチェックインしていない場合は、入口付近の電光掲示板でチェックインの案内を確認、カウンターでパスポートと搭乗券(eチケット控え)を提示。預け入れ荷物をセキュリティチェックに通し、手荷物引換証(クレーム・タグ)を受け取る。

③ 出国審査

出国審査カウンターでパスポートと搭乗券を審査官に提示。カウンター手前に荷物検査があり、液体入りのペットボトル等はここで廃棄されるので注意。

④ 搭乗

ゲートが変更になることや遅延情報の発表、パスポートのチェックなどがあるため早めに指定のゲートに到着しよう。免税店で購入した液体物の商品は乗り継ぎ便がある際には持ち込めないので注意。

日本帰国時の免税範囲

アルコール類	1本760㎖のものを3本
たばこ	紙巻きたばこ200本、葉巻きたばこ50本、その他250g、加熱式たばこ個装等10個のいずれか。
香水	2oz(オーデコロン、オードトワレは含まない)
その他物品	海外市価1万円以下のもの。1万円を超えるものは合計20万円まで

※アルコール類、たばこは18歳以上のみ

日本への主な持ち込み禁止・制限品

持ち込み禁止品	麻薬類、覚醒剤、向精神薬など
	拳銃などの鉄砲、弾薬など
	ポルノ書籍やDVDなどわいせつ物
	偽ブランド商品や違法コピー
	DVDなど知的財産権を侵害するもの
	家畜伝染病予防法、植物防疫法で定められた動植物とそれを原料とする製品
持ち込み制限品	ハム、ソーセージ、10kgを超える乳製品など検疫が必要なもの
	ワシントン国際条約の対象となる動植物とそれを原料とする製品
	猟銃、空気銃、刀剣など
	医療品、化粧品など

シェムリアップ・アンコール国際空港
Siem Reap Angkor International Airport

MAP付録P.2 C-2

空港のレターコードはSAI。2023年にシェムリアップ中心部から東へ約45km地点にオープンした空港。国際線と国内線の建物は別になっているので注意が必要。空港内は免税店やカフェ、ラウンジなどがある。到着口の外にタクシーカウンターや携帯電話会社のカウンター、カフェなどがある。

プノンペン国際空港
Phnom Penh International Airport

MAP付録P.16 A-2

プノンペン市街地から西に車で30分ほどの郊外にある国際空港で、空港のレターコードはPNH。国内線、国際線とも同じ空港が利用されている。2024年10月現在、日本からの直行便はない。2025年度半ばを目安に、プノンペンより南へ35kmのカンダール州に新しく建設されているテチョ国際空港への移転が計画されている。

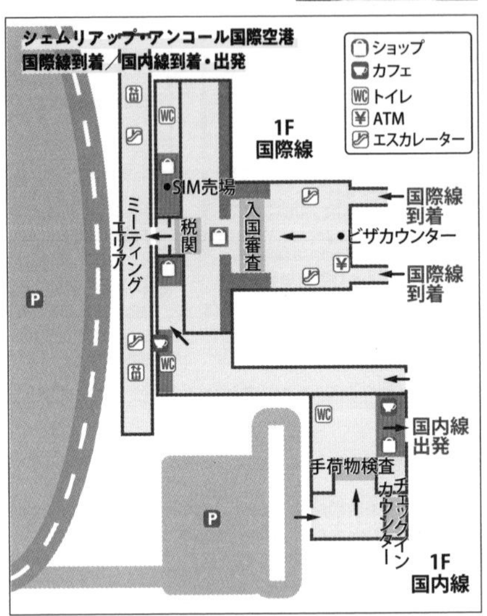

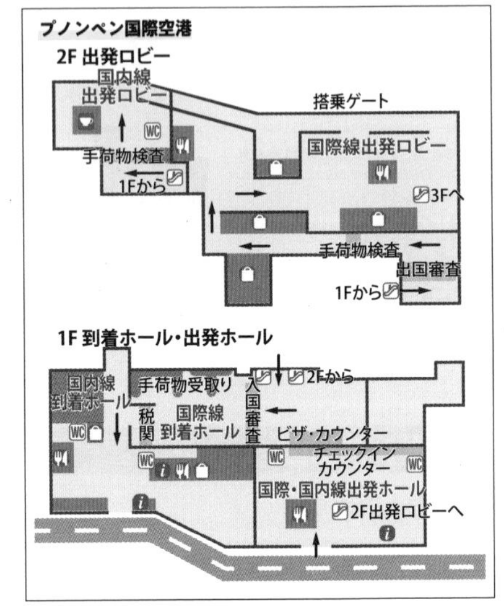

☑ 空港でしておきたいこと

□ 両替

空港の両替所はレートがあまり良くないのと、US$がほぼどこでも使用可能なので、市内までの交通費やチップなどの最小限の両替で大丈夫。

➔P.154

□ SIMカードの購入

旅行客用のSIMカードは、空港到着ロビー外にある電話会社のカウンターで購入できる。利用日数とデータの大きさによって料金が異なるので使用頻度によって決めよう。市内のカフェやホテルはWi-Fi環境が充実しているので、大きなデータ量が必要なときはそれを利用するのも手。

➔P.156

□ 免税店、空港内施設を利用

プノンペン国際空港、シェムリアップ・アンコール国際空港ともにある程度飲食店、免税店は充実してきている。とはいえ、基本的に空港内の飲食店、みやげ物店は市内と比べると選択肢は少なく値段も高いので、時間があれば市内で済ませておくのが無難。

↑国際線出国前には免税店が並んでいる

空港からホテルへはスムーズにアクセスしたい!

まずは安全にホテルに到着したいから事前の下調べをしておこう。配車アプリも便利なツール!

シェムリアップ・アンコール国際空港から中心部へ

空港を出て左手にシェムリアップ市内行きのバスカウンターとタクシーカウンターがあるので、予算や人数によって選ぼう。また空港から市街地までは遠いので配車アプリを使ってもあまり値段は変わらない。

タクシー

所要	約45～70分
料金	US$35～50程度

早朝深夜料金、車種による料金の違いがある。チケット販売カウンターでホテル名を告げて支払おう。

路線バス

所要	約45～70分
料金	US$8～9

シェムリアップ市内へのシャトルバスが1時間に1本程度運行されている。バス会社は3社あるが、一部のバスは事前予約が必要となる。

ホテルの送迎サービスを利用

異国の地では到着時間にかかわらずホテルからの迎えが来ているだけで安心できる。空港をスムーズに出発しホテル到着後もスマートにチェックインできるので利用しない手はない。料金はUS$50程度。

プノンペン国際空港から中心部へ

2024年現在、プノンペンの玄関口はこの空港となる。市内までは約10km、所要時間は30～60分(ラッシュアワー)程度で交通渋滞に大きく左右される。

タクシー

所要	約30分～
料金	US$12～18

※エリアごとの一律料金

行き先によって料金は異なるが、クーラーの利いた車での移動が快適。朝夕のラッシュアワーは渋滞もある。

トゥクトゥク

所要	約40分
料金	US$9～

※エリアごとの一律料金

一律料金なので安心。フライトで疲れていてもひったくり防止のため、荷物は抱えるなど緊張感が必要。

路線バス

所要	約1時間
料金	1500R

ルート3のバスが空港からナイト・マーケットまでを走行。現金が必要で土地勘がないと降車場所が難しい。

空港→市内中心部 アクセスマップ

シェムリアップ・アンコール国際空港から

プノンペン国際空港から

カンボジアのお金のことを知っておきたい！

屋台や市場、個人のお店では現金に限られるカンボジア。カードと現金を上手に使い分けて滞在をしよう。

通貨

カンボジアの通貨はリエル(Riel)。Rと表記される。US$も並行して流通しており、あえてリエルに両替する必要はない。US$1より小さい金額はリエルでおつりがくる。露店や屋台ではUS$1=4000～4100Rで換算されることが多い。

100R＝約3.5円　US$1＝約145円

100円＝約2860R　US$1＝約4000R

(2024年9月現在)

主に流通しているのは以下の9紙幣。ほかに50R、200Rや15000Rの紙幣もある。街なかでは50000R(約US$12.5)以上はほぼ流通していない。高額紙幣はUS$を利用。硬貨もあるが見かけることは少ない。

100R

500R

1000R

2000R

5000R

10000R

20000R

50000R

100000R

※紙幣の絵柄は複数あります。写真は一例

両替

どこで両替をすればいい？

シェムリアップ市内に数多くの両替所があるが、日本円からUS$への両替が可能な場所は多くないので、事前に情報収集しておこう。店頭にレートが表示されていないことが多いので必ずレートを確認してから両替しよう。

クレジットカードでキャッシング

街なかにあるATMでPlusやVISA、Mastercardなどの国際クレジットカードで現金引き出し(キャッシング)が可能。手数料に加え利息がかかるので使う予定があれば事前に暗証番号とともに確認しておこう。

海外トラベルプリペイドカード

クレジットカード会社が発行するプリペイドカード。あらかじめ日本でお金をチャージして、現地でクレジットカード同様に使用できる。銀行口座や事前の信用審査が不要で、使い過ぎの防止にもなる便利なカードだ。

物価

屋台やローカルレストランでの食事、缶ビール、スパやホテルの料金は割安感がある。雑貨全般は日本より高いものが多いと心得て。食事代・交通費はシェムリアップよりもプノンペンのほうが高め。欲しいものを厳選したり、節約しつつお得に贅沢できるポイントを探して楽しみたい。

トゥクトゥク
4000R(約140円)～

タクシー初乗り
5000R(約175円)～

コカ・コーラ
(500mℓ)
2500R(約88円)

ミネラルウォーター
(500mℓ)
1500R(約52円)

滞在中に知っておきたいカンボジアのあれこれ！

いざというときあわてないため、そして快適でスムーズな旅のために必要な基本情報はこちら！

飲料水

プノンペンの上水道は日本の技術支援で安心といわれているが、基本的には水道水は飲まないほうが無難。ホテルには無料の飲料水が部屋にセットされていることが多く、飲用にはこちらを利用。市内のコンビニやスーパー、露店でもミネラルウォーターは500㎖ペットボトル1本1000～1500Rほどなので、水は買って飲んだほうがよい。

トイレ

市内の飲食店や大型スーパーには洋式トイレが備えられており比較的清潔。紙は流さずゴミ箱に捨てる。郊外や都市間のバスターミナルでは和式のようなカンボジア式のトイレが多く、紙は備え付けられていないことも。遺跡エリアには清潔な公衆トイレがあり、無料(一部有料)で利用可能。

各種マナー

外国人に寛容な国だが敬虔な仏教徒が多いカンボジアでは、宗教に絡んだマナーもあり注意が必要。➔P.35

地雷に注意

観光客の多い遺跡の周辺は地雷の除去が概ね終了し安全といわれているが、「Danger Mines」と書かれている場所や遊歩道から外れた道は絶対に近づかない。Mine=地雷。

レストランで

食事のマナーはうるさくはないものの、食器を持ち上げる、食器に口をつける、ズルズルと麺を啜るのはマナー違反とされる。スプーンやレンゲを使ってきれいに食べよう。

寺院で

寺院は神聖な場所。見学の際の服装は肌の露出を避け、肩を出さない膝丈より長いものを着用。本堂では靴を脱ぎ帽子をとる。女性は僧侶に触れたり話しかけたり物を渡してはいけない。

街なかで

カンボジアでは人間の頭部には神様が宿るとされているため、人の頭部に触れないこと。子どもの頭をなでてもいけない。僧侶には敬意を払う。政治的な話や戦争の話題を避ける。

度量衡

カンボジアの度量衡はm(メートル)、kg(キログラム)など日本と同じメートル法。服のサイズはメーカーによる。

ビジネスアワー

朝食を提供するレストランは朝7時頃から。スーパーやショッピングモールは8時か9時には開店し夜10時頃まで営業、年中無休。ローカル店は午前もしくは午後の半日営業、クメール正月やお盆に休むことが多い。

電化製品の使用

電圧は日本と異なる

カンボジアの電圧は220V、周波数50Hz。日本は100Vなのでそのまま使用するには変圧器が必要だが、ドライヤーなど消費電力が大きいものは変圧器がうまく働かない。海外対応のものを用意するか現地調達を。携帯電話やカメラの充電器など電子機器は多くが「100-240V」の対応だが、海外利用に適しているか確認しよう。

プラグはA・C型が主流

プラグは日本のものも使用できるAタイプが主流、C・SEタイプもある。ホテルなどはさまざまなタイプが使用できるユニバーサルホールが多い。Aタイプはほとんどの場所で使用可能なので、変換プラグは不要。

A型プラグ

C型プラグ

郵便

はがき／手紙

はがきを航空便で日本に送る場合シェムリアップからは3000R、プノンペンから2000R。封書は20gまで2700R。シェムリアップ市内の郵便局は1カ所のみ。

小包

小包は郵便局で30kgまで発送可能。郵便事情が悪いため追加料金を出して追跡番号を付けてもらったほうが無難。EMSは5日～1週間ほどで日本に到着する。

飲酒と喫煙

カンボジアで飲酒と喫煙は18歳以上から。

公共の場での飲酒

寺院内や公園、バスなどの公共の場所での飲酒は法律で禁止されている。年齢確認もあるので、ナイトクラブへの入場は念のためパスポートを持参しよう。

喫煙は喫煙スペースで

職場やレストラン・バー、公共の場での喫煙が禁止され罰金は2万R(US$5)。屋外やテラス席での喫煙はまだ比較的自由。たばこはコンビニなどで安い値段で購入できる。

電話／インターネット事情を確認しておきたい!

旅先から急ぎの電話をかけたり、配車アプリ使用やインターネットを利用するのに必要な通信事情をおさらい。

電話をかける

国番号は、日本が81、カンボジアが855

カンボジアから日本への電話のかけ方

ホテル、公衆電話から

ホテルからは外線番号 → 001（国際電話の識別番号） → 81（日本の国番号） → 相手の電話番号

※固定電話・携帯電話とも市外局番の最初の0は不要

携帯電話、スマートフォンから

0または*を長押し（※機種により異なる） → 81（日本の国番号） → 相手の電話番号

※固定電話・携帯電話とも市外局番の最初の0は不要

固定電話からかける

ホテルから 外線番号(ホテルにより異なる)を押してから、相手先の番号をダイヤル。国際電話も外線番号を押してから。通話にはサービス料や手数料がかかるので料金は割高だと心得よう。

日本へのコレクトコール

緊急時にはホテルから通話相手に料金が発生するコレクトコールを利用しよう。

◉KDDIジャパンダイレクト
☎1800-881-081
オペレーターに日本の電話番号と、話したい相手の名前を伝える。

携帯電話／スマートフォンからかける

国際ローミングサービスに加入していれば、日本で使用している端末で通話できる。日本の電話番号には+を表示させてから国番号(81)+最初の0を抜いた相手先の番号。同行者の端末にかけるときも、国際電話としてかける必要がある。

海外での通話料金 日本国内での定額制は適用されず、着信時にも通話料が発生するため料金が高額になりがち。ホテルの電話やIP電話を組み合わせて利用しよう。同行者の端末へかける際にも国際通話料がかかるので覚えておきたい。

IP電話を使う インターネットに接続できる状況にあれば、SkypeやLINEなどの通話アプリを利用することで、同じアプリ間であれば無料で通話ができるサービスもある。Skypeは有料プラン加入でカンボジアの固定電話にもかけられる。

インターネットを利用する

ホテルやカフェなど、Wi-Fiが利用できる場所が増えてきている。ゲストハウスなどでは共用スペースにインターネットに接続済みのパソコンが置かれていることも。メールアドレスや電話番号の登録を求められることもあるので、日本からWi-Fiルーターをレンタルして持っていくのも手だ。

インターネットに接続する

海外データサービスに加入していれば1日1000～3000円程度でデータ通信できるが、通信業者や契約内容によって料金は異なる。契約業者によっては空港到着時に自動案内メールが届くこともあるが、事前の契約や手動設定が必要な場合もあるので日本出発前に確認しておこう。定額サービスに加入せずに地図アプリやSNSを利用すると高額になるため、心配な人は機内モードにするか電源を切る、モバイルデータ通信オフに設定するなどして注意しよう。

SIMカード／レンタルWi-Fiルーター

SIMフリーかSIMロック解除の端末を持っていたら、現地で使える旅行者用SIMカードを購入、日本のSIMカードと差し替えよう(紛失に注意)。通話のできるタイプとデータ通信のみのものなど料金はさまざま。外出先で地図アプリやチャットアプリ、SNSが利用できるので便利。

	カメラ／時計	Wi-Fi	通話料	データ通信料
電源オフ	×	×	×	×
機内モード	○	○	×	×
モバイルデータ通信オフ	○	○	$	×
通常モバイルデータ通信オン	○	○	$	$

○利用できる　$料金が発生する

オフラインの地図アプリ

カンボジア用の無料オフライン地図アプリがあるので、日本で事前にダウンロードするのもおすすめ。気温や湿度の関係で電池消耗が加速したり、電池切れの心配もあるので紙の地図やガイドブックは必携。

病気、盗難、紛失…。トラブルに遭ったときはどうする?

旅行先でのトラブルはなるべく避けたいもの。万一の場合には落ち着いて対処しよう。

治安が心配

地雷の撤去が完了していない場所も多いので、地雷に注意の看板には特に気を配り、遊歩道でない場所は歩かないこと。強盗や殺人などの凶悪犯罪に巻き込まれる可能性は少ないものの、観光客をターゲットにしたスリやひったくり、詐欺被害の頻度は残念ながら高い。日が暮れると真っ暗になる場所も多いので郊外への外出は注意が必要。

緊急時はどこへ連絡?

盗難やけがなど緊急の事態には警察や消防に直接連絡すると同時に、日本大使館にも連絡するように。

警察・救急 ☎012-999-999/017-999-999(英語可)
☎シェムリアップ012-402-424/プノンペン012-942-484(ツーリストポリス、英語可)

救急車 ☎119/023-724-891(英語可)

大使館

在カンボジア日本国大使館
プノンペン MAP 付録P.17 E-4
☎023-217-161(緊急時)
所No.194, Moha Vithei Preah Norodom, Sangkat Tonle Bassac, Khan Chamkar Mon, Phnom Penh
HP www.kh.emb-japan.go.jp

病院

ロイヤル・アンコール国際病院
シェムリアップ郊外 MAP 付録P.4 B-3
☎063-761-888
所Phum Kasekam, Khum Sra Ngea, National Rd.6
HP www.royalangkorhospital.com

病気・けがのときは?

海外旅行保険証に記載されているセンターに連絡するか、ホテルのフロントに医者を呼んでもらう。加入の保険会社提携病院では自己負担なしで治療を受けられる。所定の用紙に記入押印してもらい領収書を添えて申請する。

パスポートをなくしたら?

1. 最寄りの警察に届け、盗難・紛失届出証明書(Police Report)を発行してもらう。
2. 証明書とともに、顔写真2枚、本人確認用の書類を用意し、在カンボジア日本国大使館領事部に紛失一般旅券等届出書を提出する。
3. パスポート失効後、「帰国のための渡航書」の発行を申請、渡航書には帰りの航空券(eチケット控えでも可)が必要となる。「帰国のための渡航書」発行手数料は2500円、最短で即日。新規パスポートの申請は、発行に所要3日間(土・日曜、祝日を除く)、戸籍謄本(抄本)の原本が必要。

クレジットカードをなくしたら?

不正利用を防ぐため、カード会社にカード番号、最後に使用した場所、金額などを伝え、カードを失効してもらう。再発行にかかる日数は会社によって異なるが、翌日～3週間ほど。事前にカード発行会社名、紛失・盗難時の連絡先電話番号、カード番号をメモし、カードとは別の場所に保管しておくこと。

現金・貴重品をなくしたら?

現金はまず返ってくることはなく、海外旅行保険でも免責となるため補償されない。荷物は補償範囲に入っているので、警察に届け出て盗難・紛失届出証明書(Police Report)を発行してもらい、帰国後保険会社に申請する。

外務省 海外安全ホームページ&たびレジ

外務省の「海外安全ホームページ」には、治安情報やトラブル事例、緊急時連絡先などが国ごとにまとめられている。出発前に確認しておきたい。また、「たびレジ」に渡航先を登録すると、現地の事件や事故などの最新情報が随時届き、緊急時にも安否の確認や必要な支援が受けられる。

旅のトラブル実例集

スリ

事例1 買い物袋を提げて路上を歩いていたら後ろから来たバイクにカバンをひったくられた。スマホに夢中になっている間にカバンをナイフで切られ中身を抜き取られた。

事例2 混雑した市場で人混みにもまれている間にカバンから財布や携帯電話を抜き取られていた。

対策 カバンや貴重品は体から離さないで前に抱える。路上でスマホを操作したり写真撮影に夢中にならない。財布は抜き取られにくい奥のほうに入れよう。

いかさま賭博詐欺

事例1 観光地やショッピングモールで親しげに声をかけ、自宅や知人宅に招かれる。食事をしていると、カードゲームへ誘われる。最終的に言葉たくみに現金を預けさせられるが、後日電話をかけてもつながらず、連絡が取れなくなる。

対策 知らない人に声をかけられてもついていかないのは基本中の基本。親切そうにして旅行客の心をくすぐる術を心得ていて、信じ込ませるのが向こうの手口。事例を知っておけば被害者にならずに済む。たとえ犯人の居場所を突き止めたとしても、決して単独では行動しない。

置き引き

事例1 空港到着後に地図やスマホで調べ物をしている間に足元に置いていたカバンがなくなった。フードコートで座席を確保するためにカバンを置いていたらなくなっていた。

事例2 安宿やゲストハウスでセーフティボックスに入れた貴重品を全部抜き取られた。フロントに預けた荷物が他人に引き取られて全部なくなっていた。

対策 荷物から手を離したらなくなるものと思って。座席に放置するなどはもってのほか。安宿やゲストハウスでは鍵が不安なこともあるので、南京錠を持参するのも◎。

旅を豊かで楽しくする
スポット

INDEX

インデックス

観光

グルメ

カフェ&スイーツ

ショッピング

ビューティ

エンタメ&ナイト

ワンデートリップ

プノンペン

シハヌークヴィルの離島

バッタンバン

ホテル

STAFF

● **編集制作 Editors**
K&Bパブリッシャーズ K&B Publishers

● **取材・執筆・撮影 Writers & Photographers**
株式会社クロマー Kroma Co., Ltd.
西村清志郎 Seishiro Nishimura
桑原沙織 Saori Kuwahara
山内理智 Risato Yamauchi

伊勢本ポストゆかり Yukari Isemoto-Posth
稲葉霞織 Kaoru Inaba
片瀬ケイ Kei Katase

● **カバー・本文デザイン Design**
山田尚志 Hisashi Yamada

● **地図制作 Maps**
トラベラ・ドットネット TRAVELA.NET
フロマージュ Fromage

● **表紙写真 Cover Photo**
iStock.com

● **写真協力 Photographs**
クロマー・メディア Kroma Media Co., Ltd.
iStock.com
123RF
PIXTA

● **総合プロデューサー Total Producer**
河村季里 Kiri Kawamura

● **TAC出版担当 Producer**
君塚太 Futoshi Kimizuka

● **エグゼクティヴ・プロデューサー**
Executive Producer
猪野樹 Tatsuki Ino

おとな旅プレミアム
カンボジア アンコールワット

2024年12月7日　初版　第1刷発行

著　　者　TAC出版編集部（しゅっぱんへんしゅうぶ）
発 行 者　多 田 敏 男
発 行 所　TAC株式会社 出版事業部
　　　　　（TAC出版）

〒101-8383 東京都千代田区神田三崎町3-2-18
電話 03(5276)9492(営業)
FAX 03(5276)9674
https://shuppan.tac-school.co.jp

印　　刷　株式会社　光邦
製　　本　東京美術紙工協業組合

ISBN978-4-300-11276-2
N.D.C.292